新潮文庫

マイ国家

星新一著

新潮社版

2335

目次

マイ国家

特　賞　の　男

私は、ある化粧品会社の社員。所属は宣伝部だ。わが社ではこんど新しく、男性用の高級なオーデコロンを大々的に発売することになった。

その宣伝のひとつとして、テレビと新聞によるクイズを実施した。よくある形のもの。わかりきった答えをハガキに書いて当社に送れば、正解者のうちから、抽選で何名かに賞品をあげるというやつだ。

最高は特賞一名、輸入品の洋酒を百本ということにした。ちょっとしたものだと思う。その仕事は、私がぜんぶ担当した。

ハガキは、山のように集った。欲望の渦《うず》というほどではないが、万一への期待の妖《よう》気《き》といったようなものが、立ちのぼっている。

締切日がすぎ、それを警察関係者の立合いで公正に抽選し、一枚を選んだ。男の名前だった。もっとも、商品や賞品の性格上、男性からの応募のほうが圧倒的に多いのだから、それは予想されたことだった。いかにも、むぞうさな筆跡で書かれている。

いささか嫉妬《しっと》を感じた。私の給料では、安酒を飲むのがせいぜい。高級洋酒など、めったに口にできない。それなのに、この男、ハガキに走り書きしただけで、百本も手に入れやがった。

しかし、いつまでも、そんなことを考えてはいられない。さっそく、賞品をとどけなければならぬ。早いほうが、いいだろう。

これからすぐ、予告なしに訪問してみるか。そして、さあどうぞと差し出すのも、効果的かな。相手は夢かとばかり喜び、興奮の度合いも、さぞ大きいだろう。それを眺めると、こっちも恩恵をほどこしたような気分になれるというものだ。そんなことでも味わわなければ、担当したかいがない。うまくいけば、一本ぐらいわけてくれるかな。

カメラを持ってゆくことにした。感激した表情を写真にとり、わが社のPR誌にのせてもいい。大いに利用してやろう。

出かける準備にとりかかる。賞品の百本の洋酒は、すでに用意してある。発送係に連絡し、小型トラックを出してもらう。百本というと、かなりの重さだ。

助手席に乗って、番地と地図をたよりに指示した。運転手は車を進めながら言った。

「どうやら、郊外の不便なところのようですね。都心の会社につとめ、毎日通勤する人の住むような場所じゃない」

「あるいは、農業かもしれない。商店主ということもあるな。わが社の化粧品は、はば広い層に愛用されているからな」

やがて目標の地にたどりつき、運転手が言った。

「あ、あの家ですよ。ちょっとおかしな家ですね」

「ああ……」

庭のついた小ぢんまりした洋風の家で、よくあるタイプの住宅だった。農業ではな

いようだ。だが、運転手がおかしな家と評したのは、その点ではない。

そばに大きな物置きというか、小さな倉庫というか、そんな感じの建物があって、どことなく不釣合いな印象を受けるのだ。

私はトラックから下りた。その家の庭では、三十歳ぐらいの男が草花の手入れをしている。平日だというのに、のんびりしたものだな。職業はなんなのだろう。

そんなことを考えながら、名刺を出して声をかける。

「じつは、化粧品会社の者です。失礼ですが、あなたは……」

と、当選のハガキを見せて聞いた。

「はあ、そうです……」

男は、自分がその本人だと答えた。

なかなかハンサムで、からだつきもスマート。わが社のポスターの写真モデルとしても、使えそうなほどだ。いや、のっぺりした軽薄な美男子という、プロのモデルなどよりはるかにまさる。この男の表情には憂いのかげがあり、そこが魅力的なのだ。しかも今度の幸運だ。運のいいやつは、どこまでいいかわからない。

私は言った。

「おめでとうございます。あなたが、特賞に当選なさった。それを、お知らせにまいりました」

「はあ、そうですか……」

男はどうということもない口調で、ととのった顔をくずすこともない。私は少し面くらった。どういうことなのだ、これは。ハガキを見せ、おめでとうと言えば、それだけでわかるはずだ。いや、その前の私の名刺を見た瞬間に、飛びあがって喜んでくれるべきだ。

もう少し、感激や興奮をしたらどうなんだ。肩からさげたカメラを持てあました。これでは、写真にとりようがない。あるいは、あまり突然なので幸運が信じられず、そのため呆然《ぼうぜん》としているのだろうか。

もう一回、説明をする。

「おわかりですね。あなたに輸入洋酒の百本を、さしあげるんですよ。トラックにつんできた、あの箱がそうなのです」

「はあ、ごくろうさまです……」

たよりない返事だ。事態はわかっているらしいが、感情がともなわない。もしかしたら、こいつ、頭が少し弱いんじゃないか。美男子には、そんなのがよくある。

そうとすれば、こっちで期待をしてもはじまらない。事務的に処理して帰るとしよう。

「ところで、賞品はどうしましょう。おうちのなかへ、運びますか」

「いや、あの物置きに入れて下さい。いま、ご案内します」

さっき目についた建物のことだ。男は受領書になれた手つきでサインをして、先に立って歩き、その戸の鍵《かぎ》をはずした。私はなにげなくなかをのぞきこみ、思わず声をあげた。

「なんです、これは……」

片すみにはキャンデーの大箱がつみあげてあり、高級そうなゴルフ・セットもある。と思うと、音響装置が三つほどと、テレビが五台。三面鏡をはじめ新婚家庭用品の一そろいも。それらには、ほこりがかからないよう、透明なシートがかけてあった。

中央には、使った形跡のない新車がある。健康機具や、書棚《しょだな》にきちんとおさまった百科辞典のセットもある。

なにがなんだか、まるで統一がない。ふしぎがっていると、男が言った。

「じゃあ、洋酒の箱は、そこの、新型警報機の箱のそばにでも置いといて下さい。また当っちゃった。そろそろ、物置きを、もうひとつ作るか」

聞きずてならない言葉だ。運びながら、つい質問した。

「また当ったとか言いましたが、ここにあるものはみんな、賞品として手にしたのですか」

「そういうわけです」

男は、ぼそぼそと答えた。

そういえば、ここにあるのは賞品むけのものばかりだ。本当らしい。手のこんだ冗談で、乗りもしないバイクや缶詰一年分などまで買いこむやつはない。

「とても信じられない。なんと運の強い人なんでしょう。うらやましいとか嫉妬の感情を通り越し、人間ばなれしてます。なんにも働かなくていいんでしょう」

「ええ、働くといえるかどうかわかりませんが、懸賞のハガキを書くぐらいですね。時どき、外国旅行に出かけます。なにかの当選によってですが……」

「世の中に、こんな人がいるとは……」

「しかし、うらやむべき状態かどうかは、なんともいえませんよ」

と男は腕を組んで言った。

だが、私はため息をつくばかりだった。美男子であるうえに、こうまで幸運にめぐまれている人物が存在しているのだ。現実の証拠を目の前に示されては、もはやなにも言えない。自分がみじめになり、いいかげんで帰ろうと思った。

その時、住宅のほうから、男を呼ぶ女の声がした。

「あなた、庭の手入れはすんだの。そろそろ、家のなかの掃除をしてよ。あしたから三泊旅行に出かけるんだから、その用意もするのよ」

雑然とした乱暴な声。その声の主を見ると、声にふさわしくすさまじい女がいた。むやみとふとっており、どう見ても美人とはいえない顔で、髪の毛は乱れている。身なりは悪趣味で、派手な赤い服にブローチをたくさんつけている。

「いまのかたは……」

と聞くと、彼は小声で答えた。

「ワイフです」

「こんなことを申してはなんですが、ちょっと意外な感じですね」

失礼な質問が口から出てしまった。こんな美男子で幸運に恵まれた男が、なんであんな女と結婚したのか理解できない。しかし、男は怒らずに言った。

「わかりますよ。なにもあんな女と結婚してなくてもいいのに、と言いたいのでしょう。賞品をとどけに来るかたは、みなさん同じ。じつは自分でも、何度そう思ったことか……」

「それなのに、あなたのような恵まれたかたが、がまんしているのは、なぜなのです。

ほかに女性はいくらでも……」

「しかし、そうもいかないんですよ。すっかり身についてしまった、この安易な生活。いまさら抜け出すのも、こわくてね」

「いったい、奥さまは、どういうかたなのですか」

「信じないかもしれませんが、いや、あなたなら信じるでしょう。ワイフは幸運の女神なんです。なにも知らない人は絵や物語にきれいごとを書いていますが、本物の姿はああなんですよ」

やっと、この男の顔から消えない憂愁の表情の原因が、はっきりした。

うるさい相手

道を歩いていて、エヌ氏はうしろから声をかけられた。

「もしもし、ちょっと……」

それを耳にし、足をとめてふりむいたエヌ氏は、いやな気分におそわれた。ロボットが立っていたのだ。

ロボットのあくどい売込みについては、うわさでいくらか知っていた。やれやれ、おれもついに目をつけられてしまったらしいな。しかし、あくまで、つっぱねてみせる。おれは、ほかの連中のように、だらしなくはないぞ。

そんなエヌ氏の内心におかまいなく、ロボットはそばへ寄ってきて、物やわらかな声で言った。顔は無表情のくせに、話す口調だけは、いやになれなれしい。

「おみかけしたところ、すばらしいかたのようですね。できることなら、あなたのようなかたに使われたい。わたくしを、お買いあげになっていただけませんか」

「せっかくだが、いらないよ。必要ないんだ。いまの生活で満足している」

エヌ氏はそっけなく断わったが、相手はロボット。それで引きさがりはしない。ふたたび歩きはじめたエヌ氏のあとにしたがいながら、ささやきつづける。

「ロボットの便利さをご存知ないから、そのようなお言葉が出るのです。わたくしはギャラクシー会社製の、G型ロボットです。研究部が長いあいだかけて開発した、最新のタイプのものです。多くのご家庭で使われ、愛され、ご好評をいただいております。お買い上げになれば、生活は一段と向上いたします。きっと、こんなことなら、なぜもっと早く買わなかったのかと……」

自己の長所についてとめどなくしゃべりつづける相手に、エヌ氏は歩きながら言いわたした。

「いらないよ。なんと言われても買わない。ロボットを買うなとは、死んだ父親の遺言だ。おれも同じ主義なんだ。機械にたよりすぎると、人間は退化する。これはよくない」

「それは、お考えちがいです。洞穴のなかに住んで、なまの肉をかじり、寒さにふるえていた原始時代のほうがいいでしょうか。非文明的です。ご本心はちがいます。ああ、ご尊父さまのご存命中に、わたくしの姿をお目にかけたかった。遺言は逆になったはずでございます。ロボットは、お買いになるべきです。人類の必要品です。日常のくだらない仕事はまかせてしまい、あなたさまは、もっと高度で精神的なことをなさるべきでございましょう……」

「うるさいな。じつは、買いたくても、金がないんだ。いいかげんで、あきらめてくれ」

「ご冗談でしょう。お金がないなんて。もしかりに、たまたま現金がお手もとにないとしても、ご心配はいりません。もよりの銀行にお申し出になれば、購入資金はすぐに用立ててくれます。そして、返済は無理のない分割ですみます……」

　ああ言えばこう言うで、ロボットは決してはなれない。これまでの売込みを参考に、いかなる客の言葉にもすぐ反応できるよう、頭脳が調整されているらしい。

　議論では、かないそうにない。エヌ氏は腹をたて、ロボットを押しかえそうとした。だが、力ではかなわない。びくともしなかった。ロボットは、にこやかな声で言う。

「ね。いかにわたくしが丈夫か、よくおわかりになったでしょう。ぜひ、お買い上げください。お願いです」

「いらんと言ったら、絶対にいらない。もう、つきまとわないでくれ。帰ってくれ。どこかへ行ってしまえ。ロボットなら、命令にしたがうはずだろう」

「はい。お買いあげいただき、主従の関係が成立いたしましたら、もちろん、いかなる命令にもしたがわせていただきます。一刻も早く、そのようになりたいもので……」

やがて、エヌ氏の自宅の入口の前まで来た。ロボットは、なかに入れない。許可がなければ。強引に入ると、ロボットを作ったメーカーは法律で処罰される。その規定の限界についてはよく心得ているとみえ、ロボットはそこで立ちどまり、家に入ってゆくエヌ氏に声をかけた。

「よくお考えになって下さい。ここで、お待ちしております」

エヌ氏は家に入った。やっと解放され、ほっとひと息つく。なにか気ばらしをしたい。しかし、服を着かえ、草花の手入れでもしようと庭へ出ると、バラをからませた垣根のむこうから声がした。

「ごきげんは、いかが。外出なさる時の服の着こなしもおみごとでしたが、ふだん着のお姿も、またシックです。すぐれたセンスの持ち主ですね……」

さっきのロボットだった。垣根のうえから、首をのぞかせている。まだいたらしい。相手になったらきりがないことを、もう充分に知らされた。エヌ氏は黙ったまま、バラのせわをはじめた。

「……けっこうなバラですね。品種はなんですか。肥料にはなにをお使いに。わたくししにおまかせになれば、ぐんとすばらしい花を咲かせてごらんにいれます。あなたさまも幸福、わたくしも幸福、バラも幸福という、申しぶんのない状態になります。あ、あ、その枝は、お切りにならないほうがいいでしょう……」

ロボットの注意で、エヌ氏はハサミを動かすのをやめ、顔をあげた。

「うるさいな。それなら、どの枝を切ればいいんだ」

「早くお買いあげいただき、そのようなご質問にお答えしたり、お手伝いできるようになりたいものでございます……」

「なんという、いやなやつだ」

エヌ氏はハサミを投げ捨て、花壇のほうへ行った。垣根ごしの声は、追いかけてくる。

「りっぱな花壇ですね。しかし、花の並べかたなどに、もうひとくふうあったほうが、美しさの効果を高めましょう。そうなれば、眺める人も幸福、あなたさまも幸福……」

エヌ氏は庭いじりをつづける気がしなくなり、家のなかに戻った。耳のなかにしみこんだロボットの声を、消さなければならぬ。そこで、音楽を聞きながら時間をすごした。

夜、眠る前になって、エヌ氏はロボットのことを思い出した。やつはどうしたろう。買う意志のないことは、相手に通じたはずだ。いくらなんでも、もう、あきらめて帰ったにちがいない。

たしかめるためにそとへ出ると、まだロボットがいて、こう言う。

「これはこれは、どうなさいました。お眠りになれないのですか。ご退屈なのですか。わたくしをお買い上げになれば、そのようなお悩みもなくなります。休操のお相手、雑談などのお相手もできますが……」

「そんなことではない」

「ははあ、ご気分がお悪いのですな。ご夕食がいけなかったのではありませんか。わたくしにお命じになれば、どんな料理でも……」

かくして、エヌ氏に対するロボットのつきまといが開始された。いかにどなろうが、いやみを言おうが、相手は平気だった。いささか単調な、物やわらかな調子で話しつづけるのだ。そとへ出ると、あとを歩きながら、

「わたくしを買って下さい」

と言いつづける。

もちろん、乗り物を利用したり、エレベーターにもぐりこんだりして、一時的に振

りはらうことはできる。だが、ロボットはあせらないし、たっぷり時間を持っている。なにしろ、自宅を覚えられてしまったのだ。

エヌ氏を見うしなったら、家の前に戻って待っていればいい。家のなかまでは入ってこないが、そとで待ちつづけていると思うと、エヌ氏は気になってならない。このままだと、外出ぎらいになり、やがては頭も変になる。がまんくらべでは、勝てるわけがないのだ。

エヌ氏は薬屋から、環境適応剤とかいうのを買ってきて飲みはじめた。いくらか気分も落ち着いてきた。しかし、落ち着いて考えると、あまりにばかげているのに気がついた。この薬剤を作っているのは、あのロボットのメーカーと資本系列が同じ会社なのだ。

エヌ氏は薬の服用をやめた。薬の効果がとまったためか、あとに残った副作用のためか、こんどは不安がおそってきた。あのロボットは、いつまでおれを待っていてくれるのだろう。

そのうち、おれに見切りをつけて引きあげてしまい、二度と会えなくなるのではないか。そうなったら、どんなにさびしいことになるだろう。そして、つぎにはこちらから呼びとめても、知らん顔をして行ってしまうのでは……。

いや、こんなことではいかん。最初の方針どおり、あくまで決意をつらぬこう。とはいうものの、エヌ氏はいささか混乱状態だった。友人に電話し、相談してみることにした。

「じつは、ギャラクシー社のロボットにつきまとわれているのだが、買ったほうがいいのだろうか」

「そうだな、買う買わないは本人の自由で、なんともいえない。しかし、うちではこのあいだ買ったが、悪くないよ。けっこう便利だ。まあ、だまされたと思って、買ってみたらどうだろう」

この答えで、迷っていたエヌ氏の心がきまった。なんだか、すがすがしい気分だった。そとへ出て、待っているロボットを呼び入れた。

「おい、入ってこい。買ってやるぞ」

「ありがとうございます。やはり、あなたさまはお目が高い。では、購入資金の借入れ法を、ご説明いたしましょう……」

ロボットの指示で書類を作り、銀行で金を借り、ギャラクシー社に送金をすませた。これで自分のものとなった。思いきってこき使ってやろう。エヌ氏は勢いこんで命じた。

「さあ、庭の手入れをやってこい」

だが、ロボットは意外な返事をした。

「はい。しかし、このままではだめでございます」

「なんだと。どういう意味なのだ」

「ギャラクシー社から庭仕事用の頭脳の部品を購入し、わたくしのからだに入れて下さい。また、土いじり用の腕も必要です。それに、屋外労働用の強力電池も……」

「これはひどい」

「ご心配なく。これらの購入手続きは、わたくしがいたします。代金は、あとでもけっこうです。あなたさまは書類にサインをなさるだけで……」

思わぬ出費だった。こうなっているとは、少しも知らなかった。購入契約書を調べると、返品はできないことが巧妙な文章で書かれてあった。

すべてが、こんな調子だった。料理を作るには、そのための頭脳。カクテルを作るには、そのための頭脳……。

そのたびにサインをし、借入金はふえるのだった。これらを買わぬと、ロボットに投じた大金がむだになる。やむをえずサインとなる。

そればかりでなく、定期的に検査修理をしてもらわなければと、ロボットは出かけてゆく。行くなというと故障をおこし、働かなくなる。行けば行ったで、巨額な請求書にサインをさせられる。

いっぽう、各種の仕事用に買った頭脳はふえるばかりだ。この修理はロボットがやり、その点はまあ助かった。だが、エヌ氏の主観的な感情かもしれないが、ロボットはいつも自分の頭脳の検査や修理ばかりやっており、少しも主人のために働いてくれないように見えるのだった。手入れなどいいかげんにしろと言うと、そのためかどうか、つまらぬ失敗をやる。

そんな状態の時、電話がかかってきた。ある友人からだった。

「じつは、ギャラクシー社のロボットにつきまとわれて……」

と真剣に相談を持ちかけてきた。エヌ氏は考えた。こんな苦しみを、おれだけが味わうなんて不公平だ。もっと被害者をふやしてやれ。そうでもしなければ、気が晴れない。

いやいや、おれはそんなに悪人ではない。まだ買ったばかりなのであたふたしているが、やがてはこの生活になれ、満足感を持つようになるかもしれぬ。そして、それこそ進歩というものなのかもしれない。

だが、いずれにせよ答えはひとつだった。

「そうだな。買う買わないは本人の自由だが、けっこう便利だよ。まあ、ためしにだまされたと思って……」

儀式

山奥にある荒涼とした地方。岩の多い地肌から、低い木がまばらにはえている。鉱物資源があるわけでもない。労力をそそぎこんで耕せば、少しは作物が育つかもしれないが、こう不便な土地では利益があがらない。

人家のある村までは、細い道をたどって山をひとつ越えてだ。町へ行くには、その村でバイクを借り、数時間ほどかかる。それでも、夏には物好きな旅行者が時たまやってくるが、ほかの季節には通りかかる人すらない。

ここに一軒の建物があり、二人の青年が住んでいた。これが彼らの仕事なのだ。建物は気象関係の測候所であり、ここが二人の職場だった。

ある朝。空にひろがる灰色の雲を見あげたひとりが、大声をあげた。

「おい。ちょっと見てくれ。あれが幻覚でないとしたら、大変な事件だ」

「なにを、そうさわぐのだ」

目をむけると、雲のなかから大きな円盤状のものがあらわれ、しだいに下降しつつある。

「あれが、ＵＦＯというものか。人間の手になるものではない」

「双眼鏡で、よく観察しよう」

二人が見つめつづけていると、むこうの山腹に着陸した。異様な服装の人物が何人か出てきて、なにかを建設しはじめた。その工事は急速に進み、ドーム状の建造物が形づくられていった。

二人の青年は、顔色を変えた。すぐに本部へ報告だ。建物のなかの通信機に飛びつく。

〈本部どうぞ。こちらは二六三測候所〉

〈こちらは本部。なんだ。まだ定時報告には早すぎるぞ。なにか緊急事態か。それとも急病か。急病なら、関係方面にたのんで、すぐヘリコプターを派遣する〉

〈ぜひ、ヘリコプターをお願いします。緊急事態です。ＵＦＯが着陸し、基地を作りはじめました〉

〈おい、いま、なんと言った〉

〈宇宙人の侵略です……〉

〈いいかげんにしてくれ。二人だけのさびしく退屈な生活、テレビとラジオと読書ぐ

らいしか娯楽のない点には、大いに同情している。しかし、悪ふざけはいかん〉

〈いえ、困難な生活は覚悟の上で、ここへ来て仕事に従事しているのです。冗談ではありません。本当です。大変です。どうしたらいいでしょう〉

二人は、口々に異変を告げた。しかし、本部からの回答は冷静だった。

〈冗談でないのなら、その対策を指示する。いいか、非常用の救急箱をあけろ。なかの強力な鎮静剤を飲め。そして、よく眠るんだ。三日ほどたって、まだ変なものが見えるようなら、交代の者を送る。まあ、そうはならんだろうがね〉

これで終り。二人はがっかりした。

「信じてくれない。頭がおかしくなったと

思っているらしい。勝手にしやがれと言いたいが、この危機をほってはおけない」

「しかたがない。ぼくが町へ報告に行く。この口で話せば、信用してくれるだろう」

「どうだろうな。他人を説得するのは、容易でないぞ。ひとりではだめだ。ぼくもいっしょに行こう」

カメラを物体にむけて、何回もシャッターを切る。そのフィルムをポケットに入れ、急いで出発した。

休むことなく急ぎ足で山を越え、村でバイクを借り、でこぼこの道を走らせ、二人は町をめざす。そして、警察へかけこんだ。

フィルムを握り血相を変えてあらわれ、夢のような物語をする二人。警察は持てあました。といって、ほっておくわけにもいかず、各方面に連絡をとった。

医者も新聞記者も来たし、そのほか各官庁の関係者が、あるいは好奇心で、あるいはめんどくさそうにやって来た。そのたびに二人は、疲れをものともせず、同じ文句をくりかえししゃべった。

やがて、フィルムの現像ができた。だが、これをめぐって議論がわかれた。本物だという説と、作りものだという説とに。

二人はいらいらし、ついに机をたたいて大声で主張した。すると、精神状態について、またも議論がわかれるのだった。

それでも、何人かは話を信じ、支持してくれるまでになった。その人たちは、翌日、二人とともに現地を訪れることを承知した。

二人の青年は、ほっとした。これで証人の数がふえることになる。しかし、この時間の浪費で、対策が手おくれにならなければいいのだが……。

一行はへとへとになりながら、やっと建物にたどりついた。人びとは言った。

「いったい、UFOはどこなのです」

「あの山の……」

青年は指さしかけて、言葉をつまらせた。なにもないのだ。物体もドームもなく、いつもと変らぬ、ただ荒涼とした眺めだけ。人びとは顔をしかめて言った。

「あなたがたを信用し、ここまで来たのですよ。ひどいじゃありませんか」

「いや、絶対に本当なのです。あの山腹まで行ってみましょう」

と、二人の青年は、むりやりみなを案内した。しかし、たどりついた場所には、なにもない。岩肌と貧弱な木のほかには、なんの痕跡《こんせき》もない。

こうなると、あやまる以外に方法はなかった。人びとは腹を立て、いやみを言いながら帰っていった。

建物のなかで二人だけになると、こんどは中央からの通信がどなりはじめた。

〈その地方の町から連絡があった。指示を無視して職場を勝手にはなれ、そのうえ、とんでもないことをやってくれた。いい笑いものだ。どういうことだ〉

〈申し訳ありません。どんな処分をもお受けします〉

〈処分は、いずれ通達する。それまでは、忠実に職務をはたせ〉

〈はい〉

やれやれ、ひどい目にあったものだ。二人は鎮静剤を飲んで眠りについた。

その次の朝。さきに起きたひとりが言った。

「ちょっと見てくれ。見たくないものが見えるんだ」

「またあらわれたのか」

「そうなんだ。もう、どうしようもない」

二人が目をむけた場所では、またも同様な光景が展開されていた。ちがう点は、建造物を作る速度が少しゆっくりな点だけだった。ひとりがつぶやいた。

「わけがわからん。なんで、あんなことをやっているのだろう」

物体から出て作業をしながら、宇宙人のひとりが仲間に言った。

「わけがわからん。なんで、こんなことをやらねばならぬのか」

「本格的に基地の建設をやる前に、薄っぺらの資材で形ばかりのを作り、それをいったんこわして引きあげ、ふたたび着陸して本作業にとりかかるという、この慣習についてか」

「そうだ。意味のない、不合理な迷信としか思えない。ばかげている」

「まあ、そう言うな。祖先たちが確立し、うけつがれてきたものだ。儀式と思って、がまんしよう。ひとつの星を侵略しようとし、その最初の基地を作る時だ。儀式のひとつぐらい、あってもいいだろう。もっとも、おれだって、こんなまじないのききめは信じていない。やれば、住民のさわぎだすのがおくれ、敵の反撃開始がおくれるだなんて……」

死にたがる男

都心ちかいビルの、七階にある社長室。ここが、おれの部屋だ。広く立派であり、豪華な椅子《いす》はすわり心地がいい。椅子が上等なせいもあるが、会社が順調に業績をあげているからだ。

他人はみな、うらやましがる。また、おれも満足感にみちている。しかし、その気分も時どき、いっせいに消え、暗く絶望的な状態になることもあるのだ。問題の男がやってくると……。

その男だけは、秘書を通すことなく、ドアのノックもせず、勝手な時に来る。無条件で通すよう、社員たちに言いつけてあるからだ。

もちろん、好ましい客ではない。顔を見るのもいやな相手だ。しかし、追い返すことのできない事情にあるのだから、仕方ない。

いまもまた、その男は不作法に入ってきて、社長机のむこうの椅子にかけた。そして、なれなれしく言う。

「おい」

この声を耳にすると、うんざりする。口もききたくないのだが、そうもいかない。

「なんだ。きみか」

「その通りだ」

「なんの用だ」

「遊ぶ金がなくなった」

「そうか。それで……」

とぼけてみせたって、どうにもならない。しかし、少しでも抵抗してみないことには、はらがおさまらない。だが、そんなことにおかまいなく、相手はおれの顔の前に手を出す。

「金をくれ」

「このあいだ、相当な額を渡したはずだ」

「使ってしまったのだ。金というものは、使えばなくなるという性質を持っている」

「こっちの身にも、なってくれ。そうそうは払えない」

「おいおい、水くさいことを言うな。仲間じゃないか。忘れたのではあるまいな。復習してやってもいいぞ。いいか、むかし、共同で事業をはじめた。しかし、発展は思わしくなかった。なぜなら、やり手の商売がたきがいたからだ。このままでは、営業不振で破産してしまう。そこで非常手段をとることにした。つまり、おれたちは力をあわせ、商売がたきの経営者を、事故にみせかけて殺してしまった……」

いつものことなので、調子がいい。おれはうなずいた。その通りだったのだ。その犯行は発覚しなかった。また、予想どおり、強敵のなくなったおれたちの事業は、急激に伸びはじめた。

いや、正確にいえば、おれだけの事業だ。仕事に努力したのは、おれだけなのだ。彼はそれ以来、なにも働かなくなってしまった。もっぱら遊びまわるだけだ。もちろん、金がつづくはずがない。しかし、なくなると、ここへ来て金をせびるのだ。このように……。

これが、何年となくつづいてきた。長いあいだには時どき、すべてを投げ出してしまおうと思ったことも、何度かあった。

しかし、そのたびに彼から「そんなことをしたら、なにもかもばらすぞ」とおどかされる。おれは仕事に熱中しなければならなかった。そのため、会社はますます発展した。ふつうの会社経営者のように、ただ利益だけが目的だったら、こうも順調に伸びなかっただろう。

長い苦痛を回想し、歯ぎしりしていると彼は言った。

「おれを殺したいだろうな」

「当り前だ」

「そうしてもいいんだぜ」

相手は、にやにや笑う。できないと知っているからだ。彼の話だと、すべての事情を書類にして、弁護士にあずけてあるのだそうだ。死んだら開封するようにと念を押して。

すなわち、彼を殺せばかつての犯行が発覚するばかりか、もうひとつの殺人の嫌疑《けんぎ》がかかるというしかけだ。それを考えたら、決行できるものではない。

そのあずけ先の弁護士とやらを、つきとめようとしたことがあった。書類を買い取るなり、強奪するなりの処置を考えたからだ。

だが、それは不成功だった。それに、書類は一通でなく何通も作ってあり、銀行の金庫などにもおさめてあるそうだ。あきらめなければならない。

相手は、調子に乗って言った。

「お望みなら、死んであげてもいいんだぜ」

そして、笑いながら椅子から立ちあがった。ガラス窓をあけ、身を乗り出す。金を出しぶってぐずぐずすると、きまって使う手だ。

もっとも、時どき変化をつける。毒を飲もうとする時もあり、刃物を腹につきさそうとする時もある。もちろん、狂言にきまっている。しかし、本気でないとも言いきれないのだ。この男はおれから金をせびる以外に、生きてゆく方法を持たないのだから。

断固として要求をことわったら、死ぬ気にならないとも限らない。そうなると、書類とやらが開封され、いやいやながらも道づれにされてしまう。いつも、あわてて止めざるをえない。

おれは窓にかけより、彼の足をつかまえた。

「まて、早まるな。思いとどまってくれ」

「思いとどまって、なにかいいことがあるのかい」

「わかった。金は渡すよ」

彼は室内に戻り、けろりとした口調で言った。

「そうだ。合格だ。それが正しい答え方だ。おれをできるだけ長生きさせるために、あらゆる手段をつくさなければいけないのだ。先に死んだらどうなるか、よくわかっているだろうな」

「ああ。健康にはくれぐれも注意してくれ」

「しかし、禁欲的な生活はいやだ。遊びつづけて疲れたせいか、このところ、どうもからだのぐあいが変だ。もう長くないのかもしれない」

「おいおい、驚かさないでくれ。早く医者に見てもらえ」

「そうしてやってもいい。信用ある医者に、くわしく診察してもらうか。その費用も出してくれ」

ひどいものだ。泣きたくなる。こいつと話していると、要求される金額がますますふえる。言われるままの金を渡した。帰ってもらうには、ほかに方法がない。

「さあ、これで、当分のあいだ来ないでくれ」

「なんとも約束はできないな。まあ、せいぜい会社の仕事にせいを出してくれ……」

受取った金をポケットに入れると、どこへともなく去ってゆく。まったく、彼がそばにいるあいだは悪夢の時間だ。悪夢なら目がさめればどうということもないが、この場合は現実に金を取られるのだ。それに、いずれまた彼は出現するにきまっている。

金がなくなると、彼はどこからともなくあらわれる。時と場所を問わない。

その日。おれは夕方ちかい街を歩いていた。その時、彼がむこうからやってきた。

「やあ、どうかね」

彼は気づいて、声をかけてきた。さきに声をかけるのは、いつも彼のほうだ。おれはあいさつした。

「思いがけないとこで会うな」

「いや、偶然ではない。用事があって、あらわれたのだ」

この男はいつも、おれの所在をすぐにつきとめる。獲物をさがす猟犬、死体をみつけるハゲタカのようだ。何年となくつづけているうちに、その才能が発達したのだろう。彼には、それだけがあればいいのだ。おれは言った。

「なんの用だ」

「いつも同じせりふだな。いちいち説明させるな。これから、景気よく酒を飲むのだ」

「こっちもそうだ。きょうは大いに飲むつもりでいる」

「だが、いっしょに飲むのは、やめることにしよう。おたがいに、つまらないだろう。おれは人生を楽しむために飲むのだし、そっちはおれへの不満をまぎらすために飲むのだろう。気分が一致しない。べつべつに飲もう。その金が必要なのだ」

「あいにく、いまはその持ちあわせがない」

「おいおい、そんなことでいいのかい。すなおに、渡せ。人生が楽しめなくなったら、おれは死んでしまうつもりだぞ」

みえすいたことを言うなとばかり、彼は声を高めた。それを聞いて、なにごとかと足をとめる通行人もあった。彼にささやく。

「まあ、そう大声をあげないでくれ」

「いや、お望みどおり死んでやる。死ぬんだ」

彼は例によって奥の手を出し、さらに大声になった。そして、車道へよろめいてみせた。ほっておいたら、自動車にぶつかる。彼はいつものように、すぐに引きとめてくれるものと確信していた。

何回もくりかえしてきたため、死んでみせようとする彼とおれとのあいだに、一種のこつのようなものができていた。ちょうど、空中ブランコをやる曲芸師たちのように。

しかし、今回はとめなかった。彼は車道によろけ出ながら、こんなはずはないと思ったにちがいない。

そのとたん、疾走してきた自動車が、彼を勢いよくはねとばした。ほとんど即死だった。その死ぬまでの数秒間、彼は依然として、おれが引きとめるのを期待しつづけていたことだろう。

通行人たちは、

「発作的な自殺だ」

と話しあっている。「死ぬんだ」と叫んで道路へ飛び出したのだから、殺人でも事故でもない。

集ってきた人ごみにまぎれ、その場をはなれる。それから、予定どおりバーに入って、思いきり祝杯をあげた。

あの男は、もう二度とやってこない。また、おれも働くのにはあきた。会社は他人にゆずりわたすことにし、さっき、その代金を受取ったところだ。これからは、のんびりと遊んで暮すことにしよう。

彼の書類とやらは、本当だったのだろうか。事実なら、そのうち弁護士が開封するだろう。しかし、そのままクズカゴ行きだろうな。きょうで、あの犯罪の時効が成立したのだから。あるいは、参考のために警察へ送るかもしれない。だが、そうなったところで、どうということもない。

いいわけ幸兵衛

幸兵衛とはいささか古めかしい名で、まだ三十歳前の独身の男には似合わない。しかし、親がそうつけてしまったのだ。こんなことに、くよくよしてもしようがない。彼は平然としていた。

幸兵衛は、ある会社の社員。毎朝、すいたバスで出勤する。バスのすいているのは、べつにふしぎでもない。ラッシュアワーがすぎてから乗るからだ。

といって、つとめ先が特別な会社なのでも、彼が社内で特別あつかいされているのでもない。はっきりした遅刻なのだ。

遅刻をする理由は簡単。ねむくて、起きたくないからだ。むりに起きると、一日中あたまがぼんやりして、いやな気分。一般の社員は、遅刻して上役にとがめられるより、むりに起きるほうをえらぶ。しかし、幸兵衛はその二つをくらべて、怒られるほうをえらんだというだけのことだ。

会社のオフィスに入ってゆくと、同僚たちが机から顔をあげ、いっせいに幸兵衛を見る。それから課長のほうをそっとうかがい、あたりがしいんとなる。これからはじまることへの期待がただようのだ。

「おい、幸兵衛」

と課長。特色のある名前のため、いつもそれで呼ばれてしまう。彼の姓は近藤なのだが、同じ課に同姓の者がいるので、それと区別するためでもある。

「はい……」

幸兵衛は、課長の机にむかう。課長はむっつりした表情で口を閉じ、鼻で大きく息をしている。こう連日にわたって遅刻する社員は、許せない。断固として問いつめ、ことと次第によっては、くびを申し渡してやる。そんな決意が、発散していた。

「いったい、いまごろのそのそ出てきて、なんだ。きのう、もう二度と遅刻しないと、あれほど誓ったではないか。おとといも、その前の日もだ。もう弁解の種もつきたろう。まあ、言いぶんがあるのなら聞いてやろう。だが、聞くだけのことで、なんの同情もしてやらないぞ」

課長の口調には怒りがこもり、声がふるえていた。一方、幸兵衛はその課長と同じくらいまじめな口調で言った。

「そんなお言葉とは、まことに心外です。抗議をしたい気持ちです。本来なら、よくこんなに早くやってきたと、ほめていただきたいところで……」

「わけがわからん。遅刻しておきながら……」

「あ、これは、わたしの手落ちでした。事情をお話ししないうちは、わかってもらえないのも当然です。その点については、心からあやまります」

「かんじんの遅刻については、あやまらないつもりなのか」

課長は不満そうだった。泣きながらの反省を期待しているのだが、幸兵衛ときたら、一回もそれをやってくれない。

「まあ、お聞き下さい。もちろん朝はやく起きました。しかし、出かけようとしたら、お客が来たのです。中年の紳士で、はじめて会う人物。用件はなんだと聞くと、他の企業からのスカウト。ぜひわが社へ移ってくれと……」

「なんたる、ばかげた話……」

「そうなんですよ。わたしも、そう思いましたよ。もちろんですとも……」

幸兵衛は、胸を張って身を乗り出した。課長はうなずく。それならそっちへ行けばと、くびを申し渡せばいいのだが、くわしく知りたい好奇心を押えられなかったのだ。

「で、それからどうした。なぜ、他社に目をつけられるようになったのだ」

「わたしにも、わかりませんよ。憤然として追いかえそうとしたんですが、その時、予想もしなかった事態。内ポケットから手の切れるような札束を出し、扇のようにさっと開くじゃありませんか。奇術師がトランプでよくやっているでしょう。あれと同じですよ。しかし、トランプでなく高額紙幣。壮観というか美しいというか、衝撃的ですよ。相手にそれで、あおがれました。新しい紙幣のインクのにおい。どんな気持ちか、想像してみて下さい」

「うむ……」

課長はちょっと目を閉じ、ため息をついた。本当にその光景を想像してみたらしい。それを見きわめ、幸兵衛は先へ進んだ。

「なにかのまちがいでしょう、会社へ行かないと遅刻になると、何度も言いました。だが、相手はなかなか帰らない。ぜひわが社へ来てくれと、しつっこいんです。あくまで断わりましたよ。あげくのはて、事後承諾で申しわけありませんが、課長のお名前を拝借してしまいました。うちの社には、もっと優秀なのがたくさんいる、たとえば、課長のようなかたがと……」

「いや、わたしなど、少しも優秀でない……」

課長はまんざらでもなさそうに、少し笑った。そんなふうに札束でさそわれてみたいと思ったのだろう。しかし、幸兵衛は心配そうに言った。

「やっとのことで追いかえし、会社にかけつけたというわけです。しかし、考えてみると、もしかしたら産業スパイのようなものかもしれません。機密を盗むよりは、事情にくわしい社員を引抜くほうが、ずっとてっとり早い。もし、課長のお宅にあらわれても、強く断わって下さい。もちろん、承諾などなさらないでしょうが……」

課長のきげんは、少しずつよくなってきた。

「当り前だ。わたしだって愛社心は強い。しかし、うちの社の、ねらわれるような機密とは、なんだろう。どうも心当りがないが……」

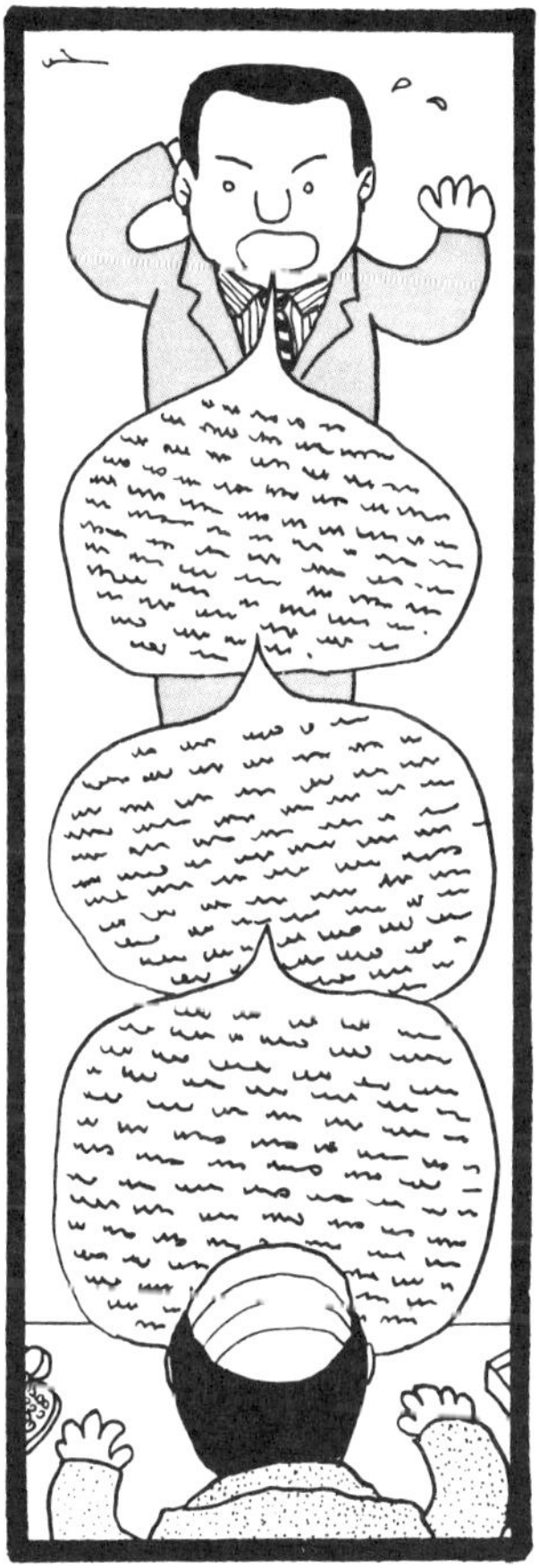

「その点は、ふしぎです。そこで、さっきからいろんな仮定を、論理的に検討しているのです。そのひとつは、マンションの、となりの部屋の住人とまちがえられたのではないかと。そいつは変った男でしてね、頭の働きはひとより一オクターブ高く優秀なのに、声は一オクターブ低いんです。たとえばですね……」

幸兵衛は大まじめで、その声色をやる。課長の気はほぐれ、そのうち笑い声をあげはじめるのだ。幸兵衛は話の途中で、リフレインのようにくりかえす。

「……もう、二度と遅刻はしませんよ。遅刻したら、課長はわたしに、くびを言い渡すべきです。他の社員への注意にもなります。みせしめというわけです……」

「わかっているよ。いまの話をもっと聞きたいが、そうもいかん。仕事に戻りなさい」

これで万事かたがつく。だが、幸兵衛のいいわけも、効力はそう長つづきしない。聞いている時は真に迫っていても、よく考えると、どこかおかしい。たとえば、となりの住人といっても、いつかの話では、べつな人物のはずだった。

そんなことに課長は帰宅してから気づき、すべてはその場の出まかせで、だまされたと知る。自分のひとのよさに腹が立ちはじめ、こんどこそは絶対に許せないと決意をかためる。

つぎの日の朝、課長がにがい表情で待ちかまえている。幸兵衛は一時間ほどおくれて、ゆうゆうとあらわれる。

「おい、幸兵衛。ちょっと来い……」

同僚たちが、息をひそめ聞き耳をたてているなかで、幸兵衛は言う。

「課長、怒って下さい。こういう際にこそです。とんでもない話なんです。あ、わたしを怒るんじゃないんですよ。じつは、ワイフが……」

「独身のくせに、ワイフとはなんだ。もう、だまされないぞ。でたらめもほどほどに……」

「そうなんですよ。まったく、ひどいでたらめなんです。けさ、早く起きて顔を洗っていると、ドアにベルの音がする。あけてみると、女が飛びこんできて、わたしの妻だというんですよ。じつになまめかしい女でしてね。からだをくねらせて、こうすり寄ってきて……」

課長は自制心を失って、興味を示した。しかし、幸兵衛は言う。

「……いや、このへんでやめておきます。弁解はしません。理由はなんであれ、遅刻は遅刻なんですから」

「それから、どうなったんだね。そのなまめかしい女は……」

課長は、さきを聞きたがった。気になる話であり、怒るのは中断。こうなればしめたもの。幸兵衛は、おもむろに話す。

「驚いていると、わけも言わずに泣き伏すんですよ。ハンケチを貸してやりました。ほら、ちょっとぬれています。女の涙ですよ。化粧品のにおいも残っているようだ」

幸兵衛は、ハンケチを出した。課長は手に取ってみた。

「うんうん、そういえば、においのするような気がするな。それで……」

もはや完全に、幸兵衛のペースにひきこまれた。身ぶりをまぜ、気をもたせながら、いきさつを話し、適当なところで切りあげる。

「正体がわかってみれば、なあんだですよ。新手の訪問販売。とんでもない話でしょう。だから、課長にも怒ってもらいたかったんですよ。しかし、考えてみると、ちょっとしたアイデアですね。わが社でも、宣伝にこんな方法を利用してみたら面白いんじゃないでしょうか。悪くないとお考えでしたら、こんどの会議の時、課長の発案として軽くお話しになってみて下さい。課長の判断力はたしかなのですから、すべておまかせいたします」

「まあ、考えておこう……」

これで、なんとかおさまってしまう。そんな販売方法などあるわけがないと課長が気づくのは、つぎの朝ということになるのだ。

しかし、課長が頭で整理し、矛盾を発見して待ちかまえていてもだめなのだ。幸兵衛は同じようないいわけを二度と使わない。そのたびに意表をつく新しいものを、しゃべる。だからこそ通用し、ついひっかかってしまうのだ。

これが、ずっとつづいている。だれも、これを朝の行事としてみとめているわけではない。課長は本心から怒っているのだし、同僚は残酷な期待で静まりかえっているのだ。しかし、結局は幸兵衛のいいわけに歯がたたない。

だが、このことは、もしかしたら、課長や同僚の心の奥で、一種の快楽に転化しているようだ。現実よりも、幸兵衛を通した虚像のほうが、はるかに楽しいのだ。かりに、幸兵衛が定時にちゃんと出勤したとしたら、どんなに空虚で物たりない朝となるだろう。しかし、それは起らない。幸兵衛は必ず遅刻をしてくれる。

幸兵衛は、たいした仕事をまかされていない。まかせたりしたら、かえって仕事がはかどらない。だが、本人はそんな状態に満足しており、昇進など考えていないから、欲求不満も高まらない。

といって、まるでなにもしないわけでもない。時どき同僚からさいそくされる。

「おい、幸兵衛。あの集金の件はどうなっている。きみの担当のやつだよ。そろそろ解決しても、いいころだろう」

「ああ、あれか。もちろん、ぼくは必死でとりくんでいるよ。このあいだなんか、取り立てるか、しからずんば死か、という勢いでのりこんだ。しかし、世の中、予想もしなかったことが起るもんだな。あの店の主人さ、知っているだろう……」

「いや、よくは知らないよ」

「そうだったかな。いずれにせよ、あの店の主人、いま家庭争議で大変なんだ。あの、まじめそうな男がだよ。これが、じつに珍しい事件でね」

「どんな……」

相手が好奇心を持ってくれると、あとは幸兵衛の独走態勢。

「結婚の手続きというのか届けというのかを、まだしてなかったんだな。そのことを、彼の愛人が発見したというわけさ。巧妙に書類を作り、役所に持っていって、自分が戸籍上の本妻におさまってしまった」

「なんだか、ややこしい話だな」

「すなわち、愛人が本妻であり、本当の奥さんが愛人の立場に転落というわけだよ。しかし、愛人になったといっても、実質はあくまで本妻であり、同居もしているし、本人だってそう思いこんでいる」

「それで、金の取り立てのほうは、どうなった」

「まあ、聞いてくれよ。愛人になりさがった本当の奥さんほど、かわいそうなものはない。じつは、彼女が連帯保証人になっている。だが、支払いの共同責任があるといっても、その持参金の預金を差し押え、強引に取り立てるのも気の毒だ。きみには、それができるかい。やはり、できないだろうな」

「うん」

「話しあいでむりのない支払い計画を立ててもらおうと、首をつっこみ、親身になって相談に乗ってやったのがいけなかった。この奥さん、つまり正確には現在の愛人というわけだが、これに弟があってね。女ぐせがよくない。こともあろうに、以前から、いまの戸籍上の奥さんと……」

　話は限りなくつづくのだ。つづくというより、発展するというほうがいい。幻の楼閣が築かれてゆくのだ。聞いているほうは、どうせ作り話と思う。第一、幸兵衛ばかりが、こういつも面白い事件に巻きこまれるということは、統計上ありえないではないか。

　しかし、わざわざ確認に出かけるというほどのことでもない。聞いているうちに、いつのまにか引き込まれ、身を乗り出してしまうのだ。本当であって欲しいとさえ思いはじめてしまう。

そして、あとになって、時間の浪費に気づくのだが、もうおそい。文句を言うため、一段落で話の矛盾をついたりすると、そこでまた話がひろがり、せっかくの矛盾も、どこかへ消えうせてしまう。

サギをカラスに変えてしまうどころか、ミミズをライオンにしたり、チューリップがタイプライターだったことにすることさえ、やってのける。

たぐいまれなる才能、いや性格と言うべきだろう。

「あいつ、小言《こごと》幸兵衛の子孫じゃないのか」

は社内でのうわさ。小言をいうことに異常な情熱をもやした人物のことだ。だれかが、あいづちをうつ。

「そうかもしれない。代々、親から、がみがみ小言をいわれつづけた家系だ。やがて、小言だって洗練されてくるだろう。ということは、それに対抗するいいわけの技術だって、並行して進歩するな。まあ、考えてみろよ。朝から休みなく、小言をいわれつづけの日常というものを……」

「すさまじいものだろうな。そんな環境できたえられた幸兵衛だ。課長やわれわれが、ぎゅうといわせようとしたって、とてもむりだ。やつにとっては、横綱が子供を相手にしているようなものだろうな」

どことなく筋の通っているようで、怪しげな説だ。同僚たちも、しらずしらずのうちに、幸兵衛的な思考の影響を受けたようだ。また、こんな感想を抱いてふしぎがる者もある。

「あいつ、いっそのこと作家にでもなればよかったのに」

しかし、それは幸兵衛にはむかない仕事であろう。彼のいいわけは、せっぱつまらないと出てこないのだ。そんな確信があるからこそ、彼はまともに仕事をしないのだ。一瞬の危機に全頭脳を燃焼させ、その際の生命の充実感に恍惚《こうこつ》となる。

彼をむりやり作家にすれば、あるいは書くかもしれない。締切りが迫って、せっぱつまれば書くだろう。しかし、なぜ締切りまで構想が浮かばなかったかの物語ばかりに、なりかねない。いいわけ小説という新分野も、しばらくはいいだろうが、ずっとそんな作品ばかりを書きつづけるわけにもいかない。

それに、言葉なら空気のなかに消えてしまうし、人間の記憶とはあやふやなものだから、どうにでもひっくりかえせる。だが、活字となるとあとへ残る。たちまち、ぼろが出てしまうのだ。

幸兵衛のいいわけは、すぐにぼろが出る。一日のばしとか、その場のがれなのだ。

だが、その場においては、みごととしかいいようがない。暗い夜空に七彩のきらめきとともに散り、その瞬間だけ天空を支配する花火のようなものだ。彼は未来だの過去だの、あるのだかないのだかわからぬ存在を信ぜず、現在しか信じていないのだろう。

会社における朝の行事、幸兵衛のいいわけ。それに聞きほれ、課長が幹部会議への出席を忘れてしまうこともある。部長がやってきて、課長をどなる。

「なぜ、会議に出てこない」

そんな場合、幸兵衛がかわってあやまるのだ。

「口をはさむようですが、課長の責任ではありません。わたしが悪いのです。じつは、さっき電話があり、わが社の大口の取引き先のひとつが、倒産寸前だという情報が……」

部長もこれには驚く。

「おい、本当なのか。となると、会議どころではないぞ。早く、なんとか手を打たなきゃならん」

「はい、電話のあったのは本当です。しかし、よく調べてみましたらデマでした。たちの悪い妨害です。商売がたきの陰謀にきまっています。わが社と、その取引き先とのあいだに疑惑の霧をまきちらし、そのすきに割りこもうというのでしょう。世の中が、せちがらくなりました。会議の席で、部長の口から、ちかごろ横行しているこの手にひっかからぬよう、みなに注意なさって下さい」

「そうしよう。しかし、そんな手口がはやっているとは知らなかった」

知るも知らないも、いま幸兵衛の頭のなかに浮かんだというだけのことなのだ。部長は、しきりに感心している。幸兵衛はさらにサービス精神を発揮する。

「それを教えてくれたのは、知りあいの女の子なのです。ある会社の社長秘書をしています。職務上、もちろん口のかたい女なのですが、彼女ちょっと変っていましてね。ただひとつ奇妙な弱味がありまして……」

と、また話が発展してゆく。魔法使いの杖《つえ》のように、幸兵衛の舌が動くと、その架空の女の子はたちまち実在と化し、いきいきと動きはじめるのだ。

やがて、話題を占いのほうに誘導し、部長はじつにいい星まわりにあるとおだて、また課長の長所をそれとなくほめあげる。まともに言えばいやらしいおべっかになるが、占いにことよせれば、さほどには響かない。

幸兵衛は、それにひきかえ私の星まわりは、と卑下してみせる。占いによるいいわけは、便利なので何回も使っている。今回は電波天文学占いという、新種を作り出した。そして、その創始者なるものも創始し、性格を与え、その奇行の紹介へとつづくのだ。

部長は課長ほど幸兵衛のいいわけになれていないので、効果は大きかった。熱心に聞いてくれ、気がついて腕時計をのぞいた時は、会議の時間はとっくにすぎていた。かくのごとく、幸兵衛はなにも働かず、一日一日を切り抜けてゆく。はたから見ると大変なようだが、彼はそれしか知らないのだから、さほどでもない。

ある日、幸兵衛は部長から呼ばれた。急用だという。部長はこう言った。

「じつは、いま監督官庁から係官が来た。大声で怒っている。落ち度はこっちにあるのだから仕方ないが、なだめようがなくて困っている。きみ、うまく応対してくれ」

「しかし、わたしなど……」

「いや、きみのいいわけの才能には、いつかすっかり感心した記憶がある。それを思い出したのだ」

「とんでもありません。いいわけだなんて。いつも真実をのべているだけです。巧みないいわけは拙誠《せっせい》に及ばずと、韓非子《かんぴし》という本にも出ております。これはわたしの人生信条で、正直こそ……」

「まあ、そんないいわけはいい。ここでしゃべっては、もったいない。あとは、応接室の役人の前でやってくれ」

「しかし、どこが問題点で、なにがどうなっているのかぐらい知ってないと……」

「そんなひまは、ないんだ。たのむ……」

幸兵衛はむりやり押しこまれた。役人が書類を前に、こわばった表情をしている。絶体絶命の状態だが、部長は非情にも、適当にあいさつをして部屋から出てしまった。

しかし、部長も不安は不安。少しはなれたところで、どうなることかと待っていた。そして、やがて部長はきもをつぶした。

二人が談笑しながら、部屋から出てきたのだ。誤解がすっかりとけたという感じで、古い友人のよう。役人の帰ったあと、部長は幸兵衛にどんないいわけをしたのかと聞こうと思ったが、それはやめた。それが正確な報告であるという保証は、どこにもないからだ。

部長は、ただ賞賛するにとどめた。幸兵衛は面目をほどこした。

しかし、十日ほどすると、部長が青くなって、幸兵衛の机へやってきた。

「このあいだの役人から、電話がかかってきた。なにか、すごく怒っている。とんでもないごまかしをしやがったと。なにか気にさわるようなことを言ったのか」

「そんなはずは、ありません。わたしは誠心誠意、心を打ちあけて話しただけです。きっと、なにかの誤解ですよ。説明すれば、すぐにわかってもらえるはずです」

「それは、ありがたい。じつは、役人はすぐ来ると言っていたのだ。うまく応対してくれ。口出しはしないから、好きなようにやってくれ。これはきみの責任だ」

いつのまにか責任にされてしまったが、幸兵衛はいやな顔ひとつしなかった。やがて、役人が顔を赤くしてやってきた。営業許可を即座に取り消すと、勢いよくわめいている。

そんなであっても、幸兵衛の応対により、帰りには笑顔になってしまうのだ。

それから役人は、ほぼ十日ごとにやってくる。ちょうど、麻薬患者の薬がきれて、発作をおこして飛んでくるようなものだ。事実、幸兵衛のいいわけは、この相手にはその程度の期間しか効力を持たないのだ。もっとも、その絶妙のいいわけを聞きたいために、その発作がおこるのかもしれないが。

そのへんのことは、部長にはわからなかった。また、どういいくるめているのかも。すべてを任せたと言ってあるのだ。途中で顔を出してみたい気持ちだが、そんなことでぶちこわしになったら、せっかく幸兵衛に押しつけた責任が、こっちへ戻ってきてしまう。

しかし、まあ、役人はそのたびに万事なっとくしたような顔で帰ってゆくのだから、それでいいともいえるのだった。

何回かそんなことがあってから、幸兵衛は部長に言った。

「どうも申しあげにくいことなのですが、わたしには才能がございません。もう防ぎきれません。役人は、おまえではだめだ、責任ある上役を出せと言っております」

「冗談じゃない。これまでのいきさつを、わたしは知らんのだ。これはあくまで、きみの責任なのだ」

「それが、はたせなくなったのです。わたしは辞表を書きます」

「まて、きみにやめられたら、どうしようもなくなる……」

部長は青くなり、しばらく考えていたが、やがて名案を思いついた。

「……そうだ。うん、こうしよう。きみをその、責任ある上役にしようじゃないか。といって、すぐ部長にするわけにもいかず、課長では肩書きが弱いだろう。室長という役職を作ることにしよう。社長に申し出て、決裁を受けてくる」

「そうなると、助かります。これで、なんとかおさまるでしょう」

幸兵衛は異例の昇進をした。また、専用の一室も与えられた。室長という肩書きにあわせたわけでもあり、役人が怒っているのを他の客の目からさえぎる目的でもあった。

役人はあいかわらず十日ごとに来るが、必ず笑って帰ってゆく。どんな会話があるのか、だれにもわからない。だが、問題は結果なのだ。会社の存続を、彼が支えているような形でもあった。

何カ月かたち、幸兵衛は社長に呼ばれた。べつに緊張もしないが、どんな用事か見当はつかなかった。社長室であいさつする。

「なんでございましょう」

「まあ、椅子にかけたまえ。きみを昇進させようというのだ」

「昇進でしたら、このあいだいたしました。あまりつづけてでは、他との釣合いがとれないと思いますが」

「いや、きみには特殊な才能がある。そこをみこんでの、昇進だ。いいわけがうまいという……」

「ああ、社長までが、そんなことをおっしゃるとは。ただ、ありのままを話して、心で相手を説得するだけです」

「それでいいのだ。その才能をいかしてもらおうと思っているのだ」

「と申しますと、宣伝関係の仕事でございましょうか。それでしたら……」

「いや、そんな役目ではない。わしにかわって、この社を運営してもらいたいのだ。このへんで時代にあわせ、若い力を注入し、大革新をやらねばならない。これは時代の要求でもあり、社の関係者の要求でもある。きみのような若い優秀な人材に、腕を存分にふるってもらいたいのだ。たのむぞ……」

幸兵衛はいささか呆然《ぼうぜん》とした。怒られるのなら、どんな切迫したことでも平気だが、これはちょっと勝手がちがう。

そのうちに署名や捺印《なついん》がそろい、手続きが全部すんでしまった。

幸兵衛は、社長室へと出勤するようになった。もはや遅刻をしてもだれも怒らず、いいわけをする相手もない。部下を呼び、おれを怒れと命ずるわけにもいかない。

なにか気が抜けたような気分。もう、ずっとこのままなのか。生きがいを奪われたようだ。がみがみと小言がいえたら、どんなにいいだろうと思ったが、あいにくその才能は彼にないのだ。

しかし、その不満もたちまち消えた。大ぜいの債権者がやってきて、貸した金をどうしてくれると言う。調べてみると、会社は債務超過でどうにもならぬ状態。前社長はどこかへ雲がくれ。普通なら一杯くわされたと怒るところだが、幸兵衛はちがう。

彼は急に元気になった。債権者たちに集ってもらう。連中は殺気だっている。

「債権をどうしてくれる。見とおしを聞くまでは帰らない」

だが、幸兵衛は少しもあわてない。同情したり、いっしょに泣いたり笑ったりしながら、しだいに本題へと引きこむ。

「……わが社は、ここで一飛躍するのですよ。営業を全面的に切り換える。必ず利益のあがる仕事です。驚異的な利益です」

債権者たちは、すでに術中におちいり、身を乗り出している。

「そうとは知りませんでした。で、どんなことです」

「つまり、早くいえば、いいわけセンターとでも称するものです。奇異な感じがするかもしれませんが、偉大なアイデアの出現の時は、だれしもそう感じるものです。社会のひずみは、いいわけを求める。そして、このひずみは今後ますます多く大きくなる一方でしょう。その解決を、うけおうのです」

「なるほど」

「これこそヒューマニズム。最も人間的な仕事です。地の塩、社会の潤滑油となる。コンピューターの精巧なのを何台そろえたって、これだけはできません。最終の産業、永久に繁栄しつづける企業です。いまに、世界的な会社に伸びるはずです。先進国の統計によりましても……」

幸兵衛は統計を作り出し、学説を作り出し、それに対する批判の説を作り出し、批判を粉砕する説を作り出し、統計をとる途中での失敗談まで作り出した。

「そうでしたか。じつに新鮮なアイデアです。しかし、人材のほうは大丈夫なんですか」

「もちろんですよ。一騎当千の者ばかりです。わたしはあまりその才能がないので、世話役のような形で社長をやっているわけです。ですから、わたしを標準にされては困ります。社員たちの、いいわけのうまいことといったら……」

「たのもしいものですね」

「こんな将来性のある会社は、ほかにないでしょう。もうかることは目に見えている。資金を出したいかたも、たくさんおります。その話がつけば、あなたがたの借金など、すぐに片づけます。返済ご希望のかたは申し出て下さい」

幸兵衛は全才能を傾けて語った。語っているあいだは、彼にとって真実なのだ。真実ほど強いものはない。それは自己を包み、他人をも包み、ひとつの小宇宙となる。

債権者たちは言った。

「いいえ、すぐ返してくれなどとは申しておりません。方針を聞くために、やってきたのです。そんなに利益があがるのでしたら、わたしたちに、もっと資金を出させて下さい。お願いします」

そして、幸兵衛の手を握って帰っていった。幸兵衛は社長室に戻り、ぼんやりと休む。なにをしゃべったのかは、もう少しも覚えていない。彼にとって、過去は存在しなかったのと同じこと。いいわけの場にのぞまなければ、なにも思い出さず、思いつかないのだ。

いや、なにも考えていないとは断言できない。心の底では、ひそかに期待しているのかもしれない。さらに金が集り、いいわけセンターが発足し、それが失敗に終り、烈火のごとくなって債権者たちが押しよせる時のことを。その席上でいいわけをする時の、無上の興奮とたのしさを……。

語　ら　い

その女は静かで上品なたたずまいの道ばたに来て、午後のひとときをすごすのが日課のようになっていた。

雨のそぼ降る秋の日にはレインコートをまとい、こがらしの吹く季節にはオーバーをつけ、みどりの濃い夏の日には軽やかな服装で、いつも同じ場所へとやってくる。

いつのころからか、一匹の犬が彼女の話し相手となっていた。かわいらしく、人なつっこい犬で、その犬にだけは、彼女も心のなかのわだかまりを打ちあける。

「二年ほど前のことなの。あの人は、ここであたしと別れ、それっきり、どこかへ行ってしまったのよ。あたしは心から愛していたし、あの人もあたしにそう言っていたのに。ひどい人でしょ。でも、忘れられなくて。いつかは帰ってくるのではないかと……」

女は知らないのだった。男は彼女を捨てたのではなく、思いがけない事故にあって、彼女に心を残しながら死んだということを。

女の知らないことは、もうひとつある。

天使は男をあわれみ、彼女と別れたくないという願いを聞きいれ、男の魂を犬に宿らせて地上に戻した。

しかし、むりにかなえてもらった願いだけに、それは残酷なことでもあった。女は犬にむかって毎日のように、不実な男へのうらみを、かなしげに訴えつづける。いっぽう、犬はただ、ちぎれるように尾を振り、小さくほえるだけなのだ。

調　整

調整のためにロボット・センターへ行かせておいたロボットが、帰ってきた。そして、玄関を入り、主人であるエヌ氏に頭を下げて報告した。

「ただいま帰りました。はい、これは調整ずみの証明書です」

「よし。これからも、いままでのように働いてくれよ」

エヌ氏はこのロボットを、三カ月前に買った。その時ついていた説明書には、三カ月たったらロボット・センターへやって調整を受けさせるようにと、とくに大きく注意が記されてあった。それに従ったのだ。

なんで調整などする必要があるのかわからないが、べつに拒否するほどの理由もない。たぶん、精巧なしくみのものなのだから、そのほうがいいのだろう。いままでより、どこかがよくなって帰ってきたにちがいない。

エヌ氏は、さっそくロボットに命じた。

「おい、紅茶をいれてくれ。ついでにプリンも作ってくれ。なんだか、甘いものが食べたくなった」

「はあ……」

ロボットは答えた。どこか、はっきりしない声だ。そして、仕事にとりかかろうともしない。エヌ氏はさらに言った。

「おい、どうしたんだ。紅茶とプリンをたのんでいるんだぞ」

「はあ……」

ロボットは、やはり動かない。どうしたのだ。いままでは、命令したとたん、すぐに動きだし、てきぱきと仕事を片づけていたのに。

調整とやらがすんだら、ようすがおかしくなった。それとも、調整してしばらくのあいだは、動きがにぶるものなのだろうか。エヌ氏はあれこれ考えてから、もう一度言ってみた。

「おい、紅茶とプリンをたのむ」

「はい。かしこまりました」

こんどはロボットも、はっきりした返事をし、命じられたものを、すばやく正確に作って運んできた。このあいだまでの調子と同じだった。

エヌ氏はほっとした。働かなくなったのではないらしい。そこで、プリンを食べながら、エヌ氏はべつな命令をした。

「さて、しばらくぶりで絵を描こう。その用意をしてくれ、キャンバスや絵具や筆をそろえるのだ」

「はあ……」

ロボットはさっきのような、たよりない返事をし、動かない。調子が戻ったのかと喜んだのもつかのま、やはりどこかおかしい。

もう一回言ってみたが、動こうともしない。エヌ氏は気が抜けた気分になり、絵を描く気がしなくなった。

ひとつ、思いきりけとばしてみるか。そう考えたが、思いとどまる。この妙な現象の原因をつきとめるほうが、先決なのだ。このままでは、使いにくいったらありやしない。なにが調整だ。

文句は、ロボットに言ってもしようがない。エヌ氏はロボット・センターへ電話をかけた。

「もしもし、こちらは……」

エヌ氏は、自分の名とロボットの番号を告げた。電話は、その担当の係へとつながった。

「どういう、ご用件でしょうか」

係の声に、エヌ氏はどなった。

「どうもこうもない。そちらで調整されて帰ってきてから、すっかり働きがにぶってしまった。これでは、ぼんやりロボットだ。なにかの、まちがいじゃないのか。もう一回、ちゃんとなおしてもらいたい」

電話のむこうで、かすかな音がした。係がエヌ氏のロボットに関する記録を、調べているのだろう。やがて答えがあった。

「わかりました。あれでいいのです。カードを照合しましたが、ロボットは正しく調整されており、まちがいはありません。当センターの証明書は、信用のおけるものです」

「なにが正しいものか。何度も命令しないと、働かないいんだぞ」

「それでいいのでございます。そちらでの、いままでのご使用のやり方を、お考えになってみて下さい」

「というと……」

エヌ氏は係に指摘され、いままでにロボットをどう使ったかについて思いかえしてみた。

まず室内の模様替えだ。机や椅子やピアノを動かさせた。あっちへ運べ、いや、やはりこっちがいいと、あれこれ動かさせた。

また、壁紙のはりかえ。そして、どうも派手だからと、べつな色の壁紙にはりかえなおさせた。

ある時は、庭の手入れをやらせた。庭がバラの花で一ぱいなのを想像し、ロボットに苗を植えさせた。

しかし、一週間ほどたつと気が変り、バラの苗を抜かせ、池を作らせた。池には噴水をつけさせ、金魚を泳がせた。

こういった調子だったのだ。

エヌ氏は電話で係に答えた。

「……そう言われてみると、いくらか気まぐれな使い方もありました」

「そこなのです。ロボットのなかには、一種の記録装置がはいっています。ある仕事を命じられ、そのあと、やらされたその仕事の結果を打消すような命令をされると、その回数が記録されるのです」

「ははあ、そんなことになっていたのですか」

「当センターで調べましたところ、そちらの場合、その回数がはなはだ多い。つまり、はっきり申しあげますと、気まぐれで、衝動的で、すぐに気分が変るのです。これでは、あまりに不経済です。そこで、その性格にあうように、ロボットを調整したのでございます」

「命令してもすぐに動かなくなったのは、そのためか」

「はい、さようでございます。一回の命令では動かないようにしました。三回目になって、はじめて動きます。三回目ということは、お考えがかたまって、ぜひやってもらいたい仕事とみとめていいといえるからです。こう調整されたため、やってもやらなくてもいい仕事、やらせてすぐに取消す仕事など、ずいぶんへることでしょう」

「三回くりかえして命令しなければ、ならないわけか」

「はい。衝動的に命令して、思わぬ事態をまねくこともなくなりましょう」

係の説明は、しごくもっともだった。しかし、エヌ氏はどうも不満で、ちょっと考えてから言った。

「なるほど、事情はわかった。そのほうが、いいのかもしれない。しかし、やはり不便だ。それに、万一の緊急事態の時など、三回目の命令でやっと動くロボットでは、たよりなくてしようがない。なんとかならないものだろうか」

「以前のように即座に動くロボットをお使いになりたいのでしたら、方法はあります」

「ぜひ、それを教えてくれ」

「しばらくのあいだ、人間調整センターにご入院を。軽率なところをなくし、思慮ぶかい性格に調整するのです。その証明書を持って、こちらへおいでになれば、すぐにご希望どおりの……」

夜の嵐

夜の十時ごろ、美矢子は自分の部屋に帰ってきた。どちらかといえば高級な、設備のととのっているマンションだった。彼女はここの一室に、ひとりで住んでいる。

美矢子はにおいの感覚がすぐれていたし、好きでその方面の勉強もし、香水の専門店につとめた。かなりの高給をとっており、このようなところに住むことができるのだった。

建物は六階建てだったが、彼女の部屋は三階にある。

彼女は今夜、学生時代からの女友だちと音楽会へ行き、それから食事をしながらおしゃべりをした。それで、帰りがおそくなってしまったのだ。

といって、美矢子に恋人がないわけではない。それどころか、久田雄二という婚約者があり、挙式を数カ月後にひかえていた。ふつうなら雄二とともに夕べのひとときをすごすべきなのだが、彼はつとめ先の商事会社の仕事のため、出張で旅行中だった。

美矢子は自分の部屋の前に立ち、鍵でドアをあけてなかへ入った。そのとたん、彼女は説明のしようのない感情にとらわれた。そして、それはあまりいいものではなかった。

いやな予感。目に見えぬ不安の腕に巻きつかれたような、死滅した空気にさわったような、なんともいえない感情だった。

彼女は立ちすくみ、ためらいながらも壁のスイッチを押した。照明がつく。そこにはいつもと変らぬ、いかにも若い女性の部屋らしい、はなやいだ光景が待っていた。眺めたところ、他人の入ってきた形跡はなく、なんの乱れもない。

しかし、やはりなにか異様さがただよっており、胸さわぎはとまらなかった。美矢子は首をかしげ、少しせわしげに息をした。異変のもとをかぎわけたい。だが、においには敏感なはずの彼女の感覚にも、それがなんであるかはわからなかった。

「ちょっと疲れていて、気のせいでそう感じたのかしら……」

美矢子はつぶやき、鏡をのぞきこんだ。そこには少し面長で、髪の長い彼女の顔がうつっていた。ふだんと同じで、べつにやつれてもいない。また、自分でもとくに疲労を感じていなかった。

もしかしたら、雄二さんと会えないことのさびしさ、ものたりなさのためかもしれないわ。こう思い、それにちがいないときめた。

「今夜はお酒でも飲んで、早く眠ったほうが……」

と、美矢子は棚からブランデーのびんを取った。その時、部屋のすみで電話のベルが鳴りはじめた。

だれからかしら。きっと、雄二さんが旅行先から電話してきたんだわ。よかった。話をかわせば心の空虚がうまり、この妙な気分が消えるにちがいないわ……。

美矢子はつとめて元気を出し、受話器をとる。だが、電話の相手は雄二でなく、聞きなれぬ男の声だった。

「じつは、航空会社のものでございます。まことに申しあげにくいことなのですが、当社の機に事故が発生いたしまして……」

一切の感情を押えつけ、むりに事務的に語ろうとしている口調だった。おそろしいことを告げる時の話し方。美矢子は自分の頭のなかが凍り、そのつめたさが心臓のほうにさがってくるのを感じた。もちろん、声は出ない。ただ相手だけが話しつづける。

「……ご乗客のなかに、久田雄二さんというかたがおいででした。当社で調べましたら、あなたさまが親しいお知りあいとわかり、とりあえず、ご連絡申しあげたようなわけでございます。まことに……」

言葉は耳のなかに流れこんでくるのだが、そのまま頭のなかを通り抜けてゆく。あ

まりの突然さに、悲しみもすぐにはこみあげてこず、涙も出ず、彼女はただ呆然と……。

われにかえると、美矢子は椅子に腰をおろしていた。テレビのスイッチを入れる。画面があらわれ、ざわめきとともに惨事の光景が展開した。彼女はあわてて顔をそむけ、スイッチを切った。

その行為で、美矢子はいくらか自分をとりもどした。止っていた思考が動きはじめた。なにかをしなければならない。だが、なにを……。

空港へ行くべきだわ。彼女は憑《つ》かれたように立ちあがり、ハンドバッグを手にし部屋を出た。マンションの前でタクシーに乗り、かすれた声で言う。

「空港へいってちょうだい」

「はい……」

運転手は答えた。夜おそく空港へ急ごうとする女に、運転手は好奇心を持ったようだった。しかし、バックミラーにうつった彼女の表情に、なにも寄せつけないものがあるのに気づき、むだ話をするのをやめ、ひたすらスピードをあげた。

夜の道はすいており、車の進みは早い。両側の住宅の平和そうな灯《あかり》が、うしろへと流れる。美矢子は目を伏せ、それを見ないようにし、早く空港へ着くようにと念じた。

それでも、雄二と知りあってから今日までの、楽しい交際の思い出はわきあがってくる。かわした言葉のすべて、笑いあったことのすべてが、遠い花火のように静かに点滅し、何回も何回もくりかえされた。

そのあいまに、さっきのいやな予感はこれだったのか、死神が知らせてくれたのだろうかと、ぼんやり想像するのだった。

自動車がとまり、美矢子は車をおりた。空港ビルへ入る。

美矢子は目に入ったカウンターにかけより、それにもたれながら、そこにいた男に聞く。のどから押し出すような声だった。

「あの、どこでしょうか……」

「お乗りになるのでしたら……」

「いいえ、事故のことよ。事故の本部はどこなの」

「ほかの人のお荷物を、まちがえてお持ち帰りになったのでしょうか。それでしたら、本部というほどのものでもありませんが、あちらのほうで……」

「いいえ、飛行機の事故よ」

美矢子は大声で叫んでいた。ひとをばかにしたような応対が、はらだたしくてならなかった。すると、相手も少しまじめな口調になる。

「いったい、いつの事故のことでございましょうか」

「いつって……」

美矢子はあきらめた。この男はなにも知らないらしい。事情を知っている、べつな人に質問したほうがいい。彼女はこう思い、あたりを見まわした。

そして、周囲のようすに気づいた。深夜の空港は人影もほとんどなく、静かだった。あわただしさや緊張感など、少しもない。美矢子は、あらためて聞きなおす。

「あの、少し前に、飛行機の事故があったはずですけど」

「いいえ、聞いておりません。きょうは天候がよかったため、国内線国際線とも、運航は正常そのものでした。こんなことは珍しいくらいで……」

「だけど、さっきテレビで……」

「ドラマかドキュメンタリーの番組を、見まちがえたのではございませんか。どこかで事故があれば、空港はこんなのんびりしていません。もし、ご不審でしたら、あちらでおたしかめになれば……」

ねむそうな声だ。美矢子は礼を言い、そこを離れた。あたりは、あまりにおだやかだった。新聞社やテレビ局の人らしい姿もない。確認に行ったりしたら、変に思われ、恥をかさねるだけだろう。

美矢子はまたタクシーに乗り、自分のマンションの所在地を告げた。それから、走り出した車のなかで、運転手になにげない口調で聞いてみた。

「なにか事件がありましたか……」

「さあ、ラジオはずっと聞いていましたが、ありませんね。そうそう、いま定時のニュースを聞きましたが、なんとか子供大会のことを、もっともらしく話してた。きょうは、よほど事件のない日なんでしょうね」

いずれにせよ、まちがいだったようだ。美矢子は心からほっとした。電話の声も、テレビの画面も、頭にはっきり残っているのだが……。

わけがわからない気分で、彼女は自分の部屋に帰りついた。しかし、なかに入ると、やはりあれが待っていた。さっきの、えたいのしれない不安にみちた空気が……。

「空気を入れかえたほうが、いいようだわ」

と美矢子はつぶやき、窓をあけた。また、棚からおろしたままになっているブランデーのびんを手にし、グラスについだ。そのグラスを持ち、窓べに寄ってそとを見た。いくらかつめたい、そとの空気が流れこむ。雄二さんの事故も、まちがいとわかった。それにもかかわらず、いらいらした気分は依然として消えなかった。

窓のそとには、夜ふけの静かな眺めがあった。ここからだと、近くの細い道を見おろすことができる。昼間はけっこう人通りも多いが、こんな時刻ではほとんどなかった。

酔った老人がひとり、おぼつかない足どりで、ゆっくりと歩いているだけ。あれで無事に家へ帰りつけるのかしら。美矢子は気にしながら、なんということもなく眺めていた。老人は、長い影をあとにひいていた。いや、影にしては、あまりに長すぎ……。

美矢子は目に力をこめた。それは影ではなかった。彼女はグラスを強くにぎる。蛇《へび》のようだわ。しかも、大きな蛇。彼女の手からグラスがはなれ、床《ゆか》にブランデーが散った。

黒く大きく長い蛇。ぶきみな蛇が、酔った老人に音もなく忍び寄っている。目が青白く光り、赤い舌が炎のようにのび出している。

注意してあげようにも、すぐには声が出ない。出たとしても、まにあわなかったろう。つぎの瞬間、蛇は飛びかかっていた。巻きつかれた老人は、苦しげな叫びをもらした。もがいても役に立たず、服は破れ、血が流れ、老人はみるみる弱っていった……。

やっと、美矢子ののどから悲鳴が出た。

靴《くつ》もはかず、部屋を飛び出し、叫びながら階段をかけおり、一階の管理人室のドアをたたいた。管理人が目をこすりながら出てきた。

「どうなさいました」

「蛇よ。いま、裏の道で、とても大きな蛇が、としとった男の人を……」

管理人は、そとへ出ていった。蛇という言葉にはとまどうが、美矢子の口調は真剣だ。その食いちがいを、まず自分の目でたしかめたいと思ったのだろう。そして、まもなく戻り、彼女に告げた。

「なにかが起ったようなあとは、ありませんでしたよ。どこなのですか」

美矢子はサンダルをかり、いっしょに裏の道へまわった。おそるおそるその場所へ近づいたが、やぶけた服も血のあともない。街灯の光が、なにもない路上を照らしているだけ。

首をかしげながら管理人室へ戻ると、そこの電話が鳴りはじめた。マンションの住人が、美矢子のあげた大きな悲鳴について、なにごとかと聞き、文句を言っているらしい。管理人はていさいよく弁解をしてくれたが、美矢子はいたたまれなくなり、おわびもそこそこに引きあげた。

あの、形容しがたい恐怖感が占めている、自分の部屋へと……。

どこかが、おかしいわ。美矢子はひたいに手を当てた。なにかが起っているのは、たしかなのだ。しかし、原因も理由も、まったく見当がつかない。

飛行機の事故も、大きな蛇も、行ってみるとなにもなかった。世の中の一部が異常でないとしたら、あたしのほうが変なのかしら。だけど、そんなはずはない。あたしは、あくまでもあたしなのだもの。いままでと同じに……。

「ねえ、そうでしょう」

と美矢子は鏡にむかい、そのなかの自分に笑いかけようとした。しかし、そのとたん、口を両手で押えた。そうしないと、また悲鳴が出てしまう。

鏡のなかには、見たこともない他人がいる。四十歳ぐらいの女で、むくんだような顔をし、みにくかった。そして、美矢子と同じ服を着て、同じように口を両手で押えている。

あまりのことに、美矢子は目をこすった。すると、鏡のなかの女もやはり同じ動きをする。これが、あたしなのかしら。あたしが、こんなに変ってしまったのかしら。でも、なぜ……。

彼女は目を伏せ、激しい不安と戦いながら、鏡をそっとのぞきなおした。鏡のなかからも、見知らぬ顔の自分が同じようにこっちを上目づかいに……。

美矢子は飛びあがり、また部屋から出た。そして一階まで来たものの、もう管理人を起すわけにいかず、といって、どこかへ行くあてもない。気の抜けたように立ちつくすだけ。

だれかが、彼女に声をかけた。

「どうかなさったのですか。こんな時間に……」

ふりむくと、このマンションに住む顔みしりの男だった。テレビ関係の仕事とかで、帰りがいつもおそい人だ。

「ええ、ちょっと……」

なんと説明していいかわからず、美矢子が反射的に答えると、男は言った。

「なんか、夢遊病みたいな感じですよ。かぜをひいたりなさらないように」

そして、急ぎ足で階段をあがっていった。それを見送りながら、美矢子は考えた。いまの人は、あたしとみとめてあいさつをしてくれた。とすると、あたしの顔は変っていないんじゃないのかしら。

マンションの入口のガラスに近づき、顔をうつしてみた。今度は自分の顔があった。異変のくりかえしでおびえた表情だが、自分であることにまちがいない。彼女は深く息をついた。


美矢子は、またも自分の部屋のドアをあけた。さっきから何回、このドアを出たり入ったりしたことだろう。姿のないなにものかに、もてあそばれているようだ。しかし、いまは彼女もある決心をしていた。

この部屋のなかに、なにか原因がひそんでいるにちがいない。わけのわからないことは、みな部屋のなかで起った。そとへ出ると、幻影のように消えてしまっている。

そのもとを、見つけ出さなければならない。あるていど理科系の知識があるため、彼女はこれだけの考えをまとめることができた。

美矢子は室内を歩きまわった。背すじに感じるつめたさを振り払いながら、注意して調べていった。そのあげく、ベッドの上にのっている、ある品を見つけた。銀色をした、金属製の箱がそこにあった。買ったおぼえのない品。

箱といってもありふれた外見でなく、かどはすべて優雅な曲線から成っていた。均整のとれた美しい形で、輝きは上品で、メカニックな感じもする。天才的な前衛彫刻家がデザインした、宝石箱とでもいったものだ。

それでいて、にじみ出るように邪悪さを発散していた。

見つめているだけで、気のめいるような、その逆に血が頭に逆流してくるような気分になる。不快、焦燥、恐怖といったものが、心のなかでまざりあって渦を巻く。脳が少しずつ、かじりとられているようでもある。

しかし、美矢子は冷静になろうと努力し、箱の横に記されている文字らしいものを見た。見たこともない、もちろん意味もわからない横文字だった。だが、一八五という数字だけは、わずかに読みとることができた。

それだけでは、なんの手がかりにもならない。なんとかして、この正体をつきとめなければならない。顔を近づけようとすると、不快感はさらに強くなる。しかし、彼女はその感情に抵抗し、手をのばした。

その時、うしろから声がした。

「あ、それをいじらないように。まにあってよかった……」

どこか、アクセントの変な口調。声のほうをむくと、若い男が立っていた。からだをぴったり包む青い服を身につけていた。見なれないというより、異質というべき印象を受けた。

この不意の侵入者を見ても、美矢子はさほど驚かなかった。さっきからの異変で、驚く気力はもはや残っていない。それに、驚いてみたところで、あとになると、うそのように消えてしまうにきまっているのだ。

きっと、この青年だって同じことよ。べつな星から来たとか、言い出すかもしれない。だけど、そんな言葉にはもう驚かないわ。それよりも、この箱のような品を調べるほうが先決。わからないようだったら、窓からそとへ投げ捨てなければ……。

ふたたびのばしかけた手を、青年が押えた。

「いけません。その品は、あなたがたのいじるものではありません。手ちがいのため、ここへ出現してしまったのです」

「いったい、あなたはだれなの。今夜あたしの身に起ったことは、この箱と関係があるようね。だとしたら、あなたは悪魔の使いかなにかなの……」

「そんなものではありません。しかし、手ちがいでご迷惑をおかけしたのですから、少しだけご説明いたしましょう。わたしは、べつな時代の人間なのです」

「どんなことをお話しなさっても、あたしはもう平気よ。それで……」

と美矢子はうながし、青年は説明した。

「その品は、遠い星の植民地へ発送する品でした。ご理解いただけるかどうかわかりませんが、いちおうお話だけはいたしましょう。遠い星へ送るには、普通の方法だと非常に時間がかかります。それを短縮するため、時間をコントロールする方法を併用しているのですが、それに狂いが生じたらしく、時の流れをさかのぼって……」

「むずかしそうなお話だけど、要するにその箱もあなたも、未来から来たということなのね」

「はい。めったにないことですが、この種の事故の起ることは予想されており、その場合に品物を回収することが、わたしの任務なのです」

青年の話しぶりはまじめで、未来から来たというのに、うそはないようだった。また、服の材質もデザインも、現代のものではない。美矢子は青年のからだから未来のにおいをかいだ。電流や光線、宇宙やステンレスが、なにかを通じてかおりを発するとしたら、こんなにおいになるのではと思えるものだった。

「未来って、どれくらいの未来からなの」

「一八五年さきです」

美矢子は、ちょっとうなずいた。さっき見た数字もそうだった。

「で、どんな働きをする装置なの、それ」

「そばの人間の心に反応し、いやだなと思うことを拡大し、幻覚として感じさせるのです」

それを聞きながら、彼女は思いあたった。そういえば、雄二さんのことを気にしたとたん、飛行機事故の知らせがあった。道を歩く老人を気にしたらすぐ、蛇があらわれた。また、自分がおかしくなったのかと心配して鏡を見たら……。

おそろしい作用だわ。人工的に強い悪夢を発生させ、そばの人を包みこみ、たえがたい気分にする装置というわけね。なんに使うのかしら。きっと、拷問《ごうもん》にでも使うのね。

そういえば、植民地へ送るとかいっていたわ。そこでの反抗を押えるため、つかまえた人をこの装置とともに部屋にとじこめ、限りない苦しみを与えていじめ抜くための道具なのね。

その光景を想像し、美矢子はぞっとした。青年を見なおすと、あどけないような静かな微笑を浮かべている。それに気づき、彼女の心はさらに冷えた。なんという残酷な人たちだろう。笑いながら、この悪魔のような装置で他人を拷問にかけるとは……。

「早く持ってってよ。二度と、こんな手ちがいはしないでね」

「もちろん、そうします。品物が過去へまぎれこむことは、わたしたちの最も警戒していることなのです」

「未来へは、なんで帰るの」

「本部の装置で、わたしが送り出されたのです。滞在期間は、あとわずかです。まもなくその時間が切れ、わたしは自動的に戻ることになっています。本当は、もっとお話ししていたいのですが……」

と、青年はなごりおしそうにベッドの上の装置を手にした。美矢子は首を振って言った。

「お話なんかいやよ。早く消えてよ。未来なんかに、生れなくてよかったわ。こんなおそろしい拷問道具で、いじめられなくてすむんですもの」

時間が来たのか、青年の姿は薄れはじめていた。だが、声はまだはっきりしていた。

「かんちがいをしておいでのようですね。これは、拷問道具ではありません。わたしたちの時代はあまりに平穏、地球ばかりか植民地も、満足と安泰だけが占めております。その、どうしようもない退屈を、処理するための品です。世の中に最も普及している、娯楽用のもので……」

言い終らないうちに、青年の姿は手の装置とともに消えた。あとにはなにも残さずに……。

しかし、消える寸前に青年の顔に浮かんだ、うらやましそうな表情。美矢子はそれをはっきりとみとめた。人工的に神経を刺激したりしなくても、世の中に緊張や不安が存在しているこの時代。あの青年にとっては、かえってあこがれの時代なのかもしれないわね。もはや、たしかめようのないことだが、美矢子はふとそうも考えてみた。

刑事と称する男

夕ぐれ近い時刻の盛り場。私は、前を歩いている青年に声をかけた。

「おい、ちょっと待て」

青年はうすよごれた服を着て、そわそわした足どりで歩いている。彼はふりむき、油断のない目つきでこっちを見たが、急いでかけ出そうとした。その機先を制するように、鋭く声をかける。

「逃げるな。わたしは刑事だ。とまれ」

青年は立ちどまり、不服そうに言った。

「なんです。失礼な口調で、ひとを呼びとめたりして。用があるのなら、もっと、ていねいに言ったらどうだ」

「文句を言うな。不審な点があるので、ちょっと尋問したいだけだ」

押し問答をしていると、たちまち、あたりに人だかりがしてきた。世の中にはひま人が多いらしい。いや、好奇心がすべてに優先する、事件の好きな連中なのかもしれない。青年はみなの視線を受け、肩をそびやかして言った。

「刑事だかなんだか知らないが、往来で人に恥をかかせていいんですか。犯人ならいざしらず、なんのやましいこともない者を」

やじうまのなかには、青年に声援するやつもでてきた。にらみつけると、そいつはこそこそ身をかくした。そばのレストランのドアをあけ、そこの主人にたのんだ。

「じつは、わたしは刑事。この男を不審尋問したいのだが、道ではごらんの通り。あいた部屋があったら、しばらく使わせていただきたい」

「どうぞ、どうぞ。警察のためというのでしたら、ご協力いたします。さあ、こちらへ」

主人はこころよく承知し、小さな部屋に案内してくれた。話を再開する。

「ここならいいだろう。まず、ポケットのなかのものを見せてくれ」

「いったい、なにを根拠に……」

「やましい点がないのなら、おとなしく言う通りにしたほうが、ことが早くすむというものだぞ」

なんだかんだと反抗するのをむりやり調べると、ポケットからかなりの札束が出てきた。それをつきつけて言う。

「あんのじょうだ。これはなんだ」

「ご存知ないのですか。お金ですよ。紙幣」

「そんなことはわかっている。どこで手に入れた」

「さあ……」

「ほらみろ。言えまい」

「わたしのかせいだ金なんです」

「なにをして、かせいだ」

「いろいろなことです」

「たとえば、どんなことだ」

「さあ……」

「それみろ。しどろもどろだ。正当な金でないことが、はっきりした。この金は証拠品として、一応あずかっておく。さて、おまえの職業はなんだ。正直に答えるのだ。ごまかすと、やっかいなことになるぞ」

手帳を開き、鉛筆を手に言う。すると、青年は答えた。

「しかたありません。はっきり申しあげましょう。ぼくは刑事です」

「なんだと。冗談はいいかげんにしろ。そんなかっこうの刑事があるか。さっきポケットを調べたが、それを証明するものはなかったではないか」

と私がかさねて聞くと、青年はさっきとうって変った落ち着いたようすで言った。

「これには、わけがあるのです。特別な任務のためです」

「どんなことだ」

「じつはですね。このところ、にせ刑事の被害者がふえてきた。善良な市民という連中は、衆をたのむとさっきのように警官横暴と叫ぶくせに、自分ひとりになると、すぐにぺこぺこする。そこにつけこんでおどし、証拠品と称して所持金を巻きあげる。放任しておくわけにいきません」

「そうだったのか……」

「どうなさったのです。急にあわてたりして。だからぼくには、すぐわかります。警察手帳が本物かどうかが。お見うけしたところ、いまの手帳、うまくできていますが、表紙のつやが少しちがうような……」

相手は言葉に、じわじわと力をこめてきた。私はため息をつき、頭を下げた。

「そこまでご存知では、どうしようもありません。かんべんしてください。ほんの冗談でやったことなんですから……」

「そう軽々しく、見のがせるものか。なぜ、こんな大それたことをやった」

相手は勢いこんで言った。私はどもりながら答える。

「じつは、その、ミステリーでも書こうと思いまして、犯罪の実態に触れようと……」

「ばかげた言いわけをするな。さっきの言葉づかいは、なれたものだったぞ。しろうとのかけ出しには、できるものではない。常習だろう」

「いいえ、前に一回か二回ほど……」

「ふざけるな。数十回はやっているはずだ。おい、どうなんだ……」

「はあ、申しわけありません。もう決していたしません。なんとか、おんびんに……」

あやまりつづける私の言葉に耳をかさず、相手は私のポケットを調べ、箱に入ったダイヤモンドをちりばめたブローチをみつけた。

「なんだ、これは。悪事をして、手に入れた金で買ったのだろう」

「はい。なじみの女への、おくり物にしようと思いまして……」

「とんでもないやつだ。ただではすまんぞ」

「なんとか、お助けください。これからは足を洗います。そのダイヤはさしあげます。お願いです、おみのがしを。なんでしたら、あとからもっと、お金をお持ちしてもいい。これが表ざたになったりしたら、わたしの地位も名誉も家庭も、すべてめちゃめちゃです。自殺するよりほかにありません……」

泣かんばかりに、たのみつづける。相手はなんだかんだと言いながらダイヤをいじっていたが、それを自分のポケットにおさめて言った。

「刑事とはいっても、血も涙もない冷血動物ではない。許しがたいやつだが、考えてやらぬものでもない。このダイヤはあずかっておく」

「あ、ありがとうございます。あなたは、神さまのようなかただ。これからは心を入れかえ、世のため人のため……」

と反省の言葉を話すと、相手はうなずきながら私に聞いた。

「地位とか名誉とか、大きなことを言ったが、いったい本職はなんなのだ」

「それぱかりはお許しを……」

「いや、ぜひ聞いておかねばならぬ。それを言わないのなら、これから警察に連行する」

「それはいやです。といって、それを言うとあとあとまでつきまとわれ、何回も何回も金をせびられるのでは……」

「なにをぶつぶつ言っている。本当のことを言ってしまえ」

相手は鋭い口調。私は答えた。

「刑事です」

「ふざけたことをぬかすな。刑事なら、なぜぺこぺこあやまったりしたのだ」

「極秘の任務に従事しているためです。このごろ、悪徳刑事が横行しているとのうわさ。犯人を追いつめたはいいが、そこでひそかに取引きをやり、うやむやにして報告をしない。こんなことだと、悪はのさばり、警察の威信は低下するばかり。この事態を一掃すべく、本部直属で働いている。だから、わざと本物の手帳は持たないのだ」

「うそだ。そんなことが、あるものか。このにせ刑事め」

と相手は声をあげ、私もそれ以上の声を出した。

「にせ刑事はそちらだ。たとえ本物だったとしても、悪徳刑事だ。どっちでもなければ、札束を盗んだ犯人だ」

はてしなく言いあっていると、レストランの主人が顔を出した。

「さきほどから、ここでお話を聞いてしまいました。大変に、こみいっておりますな。どうでしょう、店に電話がございます。それで警察に連絡なさって、だれかに来てもらえば、すぐにけりのつくことではございませんか」

しかし、私は言った。

「話をお聞きになったのなら、おわかりでしょう。わたしは特別本部の直属なのです。悪徳刑事の調査は、公然とはやれない。その部長以外には、だれも知らないのです。だから、警察へ連絡しても、わたしの助けにはなりません」

そばのやつも、同じようなことを言った。

「わたしはその職務上、手帳さえ持っていない。上司も同僚も、そとではわたしに知らん顔をすることになっているのです。応援をたのむと、秘密の職務がばれてしまう……」

すると、レストランの主人は、にやにや笑い出し、私に言った。

「あなたは、本当は刑事でもなんでもないんでしょう」

レストランの主人らしからぬ、迫力のある口調だった。私はだまって目を伏せた。

主人は、またそばのやつにも言った。

「あなたも同様でしょう。だいたい、警察がこんな手のこんだことをやるわけがない」

「はあ、よくご存知で……」

そばのやつも、神妙なそぶりだった。すると主人は言う。

「じつは、わたしこそ本物の刑事……」

「なんですって……」

と驚いて聞きかえすと、主人は高らかに笑いながらつづけた。

「と言いたいところだが、ちがいます。しかし、お二人ともえらい。ぬすみ聞きをしていて感心しました。大変な才能と度胸。悪党として、これだけきもがすわり、ねばりのある人は見たことがない。最後まで望みを捨てずに対抗し、自己の立場をごまかし、いったん相手の弱味を敏感にかぎつけると、たちまち反撃にうつる。すばらしい。どうでしょうか、わたしにおごらせてください」

われわれは、けげんな顔をつづけた。主人はその説明をした。

「お二人をみこんで、打ちあけます。仲間になってください。この複雑で混乱した現代では、あなたがたのような人こそ、もっと腕をふるうべきです。わたしはレストランをやって世間体をごまかしていますが、じつは、大仕事をずいぶんやってきた。協力者があれば、もっと収穫も大きくなる。これまでの戦果は、まず税関を舞台にした詐欺、薬品や宝石の密輸、小切手や手形の偽造、銀行の恐喝《きょうかつ》……」

主人は並べたてた。ひと区切りするのを見はからって、私は飛びかかった。主人はあばれたが、そばの男も飛びついたので、すぐにおとなしくなった。

私たちは、顔をみあわせて言った。

「まんまと、わなにひっかかったな。あの一連の事件の主犯がここらしいとは目をつけたが、どうもはっきりしなくて困っていたところだ。苦心の作戦が、やっと実を結んだな」

「ああ。しかし、これで解決だ。こいつ、警察には手のこんだ芝居などできないとか言っていたが、とんだ見当はずれだ……」

肩をたたきあい、はじめて笑いあった。

安全な味

「やれやれ、宇宙旅行もいいが、この退屈さはやりきれないな」

　空間を飛びつづける宇宙船のなかで、探検隊員のひとりが言った。すると、他のひとりがあくびまじりで応じた。

「ああ、まったくだ。地球からつみこんできた映像は、十回ずつくりかえして全部見てしまった。本も読みつくした。眠りつづけるのにもあきた。しかし……」

「しかし、なんだ」

「これらのことは、がまんできないこともない。最もたまらないのは、毎日の、変りばえのしない食事だ。栄養もあり味も悪くないのだが、こう連日にわたって同じものばかりでは、楽しみも感激もありはしない。まずくてもいいから、なにか変ったものが食べてみたい」

「うん、それは同感だ」

　といって、この不満だけは、だれにぶつけようもなかった。ボタンを押すことによって、自動調理機が作り出してくれる食事なのだから。ダイヤルを回せば何種類かの料理が出てくるのだが、こうくりかえされると、どれも鼻についてくる。どこかの星に着陸して探検中なら、それで気もまぎれるだろう。しかし、航行中となると、どうしようもなくなってしまう。

隊長は、みなをなだめるように言った。

「その気持ちはわかるが、もう少しがまんしてくれ。あと数日すれば、ある惑星に着陸できる。その星には動植物が存在するはず。それを材料にすれば、新鮮で変った食事を作れるだろう」

「本当ですか。気休めではないでしょうね」

「確実だ。この方角で……」

と隊長は星図を指さして説明した。みなはそれに期待し、いくらか元気づけられた。

宇宙船は飛びつづけた。やがて、星のひとつが徐々に大きさをましてきた。目標の星に接近しはじめたのだ。観測室からの報告も、しだいに好ましいものとなっていった。

「星には、大気と水が存在するようです」

さらには、

「星には、植物が生育しているようです。おそらく、動物もいることでしょう」

もっと近づくにつれ、

「ある程度の文明を持った住民が、いるようです。町らしきものが、みとめられます」

この言葉で、宇宙船内の隊員たちは話しあってざわめいた。

「どの程度の文明を持っているのだろう」

「あまり凶暴な連中でなければいいが」

そんななかで、隊長は命令を下した。

「ゆっくりと高度を下げつつ、しばらくようすを見よう」

宇宙船はその惑星の周囲をまわりながら、少しずつ地表に近づく。攻撃でもされたら、すぐに逃げられるよう注意したのだ。しかし、そのようなことはなかった。住民たちの動きを観察した結果などから、友好的と断定するのはまだ早いとしても、敵意を持たない連中らしいと想像できた。

そこで、宇宙船は草原に着陸した。ここは牧場らしく、家畜のような動物が轟音《ごうおん》に驚いて散っていった。近くには小さな村があり、遠くには町が見える。なぜこのような地点を選んだかというと、まず小人数の住民と接触し、本当に友好的かどうかを確

認すべきだと考えたからだ。

「さあ、宇宙船から出て村へ行ってみよう。万一のことがあるかもしれないから、武器を忘れるなよ。それから会話翻訳機もだ」

隊長は命じた。彼はよく気のつく性格で、どんな場合にも決して油断しない。隊員たちはあとに従い、歩いて村へとむかった。

住民たちのほうも、興味ぶかそうなようすで、隊員たちを見ていた。武器らしいものも持っていず、警戒的でもなかった。両者のあいだがある距離にちぢまると、隊長は立ちどまって呼びかけた。

「みなさん。わたしたちは地球という星から、宇宙を越えてやってきた者です。危害をおよぼすつもりは、少しもありません」

翻訳機のダイヤルを回しながら何回もく

りかえすうちに、相手との会話に成功した。住民はこう答えてきた。

「ようこそ。心から歓迎します。どうぞ、村でひと休みして下さい。おもてなしをします」

隊員たちは、ほっとした。おたがいに、第一印象は悪くなかったようだ。みなは案内されて、村の家のひとつに入った。美しい材質の石造りの建物で、各所に花が飾られ、壁にはエキゾチックな模様が描かれてある。おだやかで微妙で、闘争とは遠い感じだった。

「しばらく、おくつろぎ下さい」

住民は引きさがった。だが、隊員たちは休息より、あたりの物珍しさに気を取られた。室内の写真をとる者もあった。そのうち、部屋のなかを歩きまわっていたひとりが声をあげた。

「これは、なんだろう。うまそうな、においがする」

陶器でできた容器が。なかには、どろりとした液体が入っている。みなは集ってきた。たしかに、うまそうなにおいだった。だれかが、つばを飲みこむ音をたてた。

携帯用の検査器を用いて調べると、有害有毒でなく、清潔であることがわかった。そうとなると、ひとりはがまんしきれなくなり、手ですくってなめてみた。

「これはうまい。いい味だぞ」

他の者もそれにならった。宇宙食にあきていたせいだけでなく、事実いい味の液体だった。だが、いつまでもそれを楽しんではいられなかった。見張りの隊員が注意したのだ。

「おい、住民たちがやってくるぞ。みっともない姿を、見られないようにしろ」

みなが容器から離れ、そしらぬ顔をしていると、入ってきた住民が言った。

「お待たせしました。なにはさておき、まず、くだものでも、どうぞ」

大きな皿の上には、美しく、かおりのいいくだものが盛られてある。しかし、隊員たちとしては、いまの液体のほうが気になった。できることなら、あれを存分に飲ませてもらいたいものだ。その気分を代表し、隊長がそれとなく言った。

「お会いしてそうそうの質問攻めですが、あの容器のなかの液体はなんですか。わたしたちは興味をひかれました」

住民はすまなそうに言った。

「申しわけありません。あまりに突然のおいででしたので、片づけるひまもなくて……」

「なんなのです。わたしたちは知りたいだけなのです」

「いや、お話しするほどのものでは、ありません。肥料です」

これを聞いて、一同は顔をしかめた。妙なものを飲んでしまった。有害ではないにしろ、いい気分ではない。隊長は、かすれたような声を出して聞いた。

「なんで作るのです」

「町で作っている合成肥料です。作物や果樹は、みなそれで育てます。このくだものも、そうです。さあ、どうぞご遠慮なく」

「では……」

みなは手を出した。念のために検査器で調べたが、異常はない。それに、くだものなら大丈夫だろう。肥料を飲んだ口なおしにと、隊員たちは食べた。

すばらしい味だった。さっきの肥料もいい味だったが、その何倍もの味だ。みなは争って口へ運ぶ。地球の最高級の果樹を交配させたり、つぎ木をしたりして一つにまとめても、こうはなるまい。地球どころか、いままで訪れた星のどの食事にもまさる味だ。たちまちからになった皿を見て、住民は言った。

「喜んでいただけたようで、うれしく思います。おなかがおすきのようですから、こんどは肉の料理をお出しします。ご満足いただけるといいのですが」

しばらく待つと、肉の料理が運ばれてきた。乳製品を料理した品らしいのもそえられている。それらのにおいが、またなんともいえない。くだものをけっこう食べているのに、食欲をさらに刺激する。口のなかには、つばがとめどなくわき、胃は音をたてている。

食べてみると、その期待を裏切らないどころか、それ以上。口ばかりか、食道から胃にかけても味がしみとおる。内臓のすべてをとかすような味だった。身ぶるいするような感激だった。隊長は思わず言った。

「なんと、すばらしい料理なのでしょう。まさに、宇宙最高としか、形容できません。どうやって、お作りになるのですか」

「おほめいただいて光栄です。べつに特殊な料理法もありませんが……」

「しかし、これだけの料理です。なにか秘訣《ひけつ》があるはずです」

「秘訣というほどのものも、ありません。しかし、あるいは材料のせいかもしれません」

「とおっしゃると……」

「わたしたちの発見した理論によりますと、いい味のものを使って育てると、それはさらにいい味になるのです。つまりですね、いい味の植物を作るには、いい味の肥料を使うというわけです」

「なるほど……」

みなは、なぞがとけたようにうなずく。さっきの肥料のことに思い当ったのだ。肥料に含まれている美味成分が植物中に蓄積し、さらに高度の味が形成されるのだろう。くだものの味は、そのためだったらしい。住民は説明をつづけた。

「それによって育った植物をえさにし、家畜を飼うのです。それが、いまの肉料理です」

「そうでしたか。なんと驚くべき、食品文明なのでしょう」

隊員たちは、ため息をつく。感心しながら料理を食べ、料理を食べながら感心した。そして、すっかり平らげてしまった。

住民たちは宿舎を提供すると申し出たが、隊長はみなに命じ、宇宙船へ引きあげさせた。全員が戻ると、隊長は命令を出した。

「さあ、すぐに出発だ」

「なんですって。こんないい星に、もうお別れするのですか。着いたばかりだし、住民は友好的だというのに」

「そうだ。しかし、これは命令だ」

みなは不満ながらもそれに従い、噴射とともに宇宙船を上昇させた。やがて、遠ざかってゆく美味の星を振りかえりながら、隊長は言う。

「わけを話そう。食事に夢中になっているわたしたちを見る、住民たちの表情に気づいたか。食欲をそそられているような顔つきだった。友好的ではあっても、彼らとわれわれとは、しょせん異種族だ。味への誘惑に負け、いずれは表面化するかもしれない」

「それは気がつきませんでした。ええ、彼らの理論どおりとすれば、そういうことにもなるわけですね」

「気がつかなかった点は、あと一つある。しばらく滞在していれば、わたしたち自身のなかにも、それと同じ感情だか衝動だかがわいてくるはずだ。どちらにせよ、不幸な結末になることは避けられない。早く引きあげるのが、危険と悲劇をのがれる唯一の道だ」

「そうかもしれませんね」

一同は理性を取り戻した顔になった。そのうち、食事の時刻になり、みなは機械の作り出す単調きわまる料理を口にする。あきあきする味だ。だが、これこそ安全な味でもあるのだった。

ちがい

ひとりの女が、神経科の医者のところへやってきた。三十歳ぐらい。ちょっとした美人だが、表情には深いかげがある。それは、内面の強い悩みからきたものだろう。もっとも、悩みがなく精神が正常であれば、だれもここへは出かけてこない。

彼女を迎えて、医者は冷静な声で言った。

「どうなさいました」

「それが、あの……」

女は言いよどんだ。これも珍しいことではない。すぐ、とくいげに話しはじめる患者など、そうあるものではない。その緊張をときほぐし、しゃべりやすくするのが医者の技術だ。

「お話をうかがわないことには、どうしようもありません。気を楽になさって下さい。ことのおこりからでも、お聞きしますか。お話しになりたくないところは、けっこうですよ。気のむくまでお待ちしますから」

うながされて、女はやっと口を開いた。

「じつは、あたしの夫のことなので……」

「ご主人が、どうかなさいましたか」

「どこからお話ししたものか。数年前のことですの。ある日、夫は外出したまま、それっきりになってしまいました。それ以来、なんの連絡もなく……」

「ははあ、失踪《しっそう》なさったというわけですな。しかし、そのような件でしたら、ここはすじちがいです。警察のその方面の係に、ご相談なさるべきでしょう」

医者はあくまで冷静な口調。女はそれと反対に、こみあげてくる感情を押えようとしながら言った。

「もちろん、そうしましたわ。警察は、夫のつとめ先の会社の人とも協力し、ずいぶんよくやってくれました。だけど、それはなんの収穫もあげません」

「もしかしたら、どこかで事故にあわれたか、自殺をなさったのかも……」

医者は、あいかわらず淡々とした調子だった。女は目を伏せて答えた。

「ええ……」

「先走ったことを言うようですが、ご主人の消息、生死がはっきりしない。そのため、気持ちの整理がつかない。それが心のなかにつもって、精神のバランスが崩れかけてきた、とでもいったところでしょうか」

女はとまどったように、ちょっと笑った。

「いいえ。お話はまだ序の口ですの。それに、あたしは、あきらめがいいほうなのです。調べてもわからないことを、あれこれ悩んでも仕方がないときめました」

「それはそうですね。勝手に口をはさんで、失礼しました。で、それからは、どんな生活を……」

「くらしには困りませんでした。夫の残していった、財産がありました。ボーイフレンドたちと遊んで、けっこう楽しい気分でしたわ」

「それだったら、なにも、このような神経科の医者に来ることもないでしょう」

と医者は反論した。亭主は失踪したが、べつに悲しくもない、遊びくらして楽しいという。なぜやってきたのか、わけがわからない。反論したくもなる。

あるいは、その先に事情があるのかもしれない。しかし、反論しておくと、さらに話に熱中する相手も多いものだ。その作戦が功を奏したのか、女はつづきを口にした。

「でも、そう遊んでばかりいては、お金がつづきません。夫の生命保険金をもらおうと思いましたの。このような場合はすぐにはもらえず、一定の期間がたたないとだめなのだそうです。しかし、その期間がまもなくなので、あたし保険会社へ交渉に行きました」

「なるほど。同感ですね。保険金をもらうのは、正当な権利なのですから。で、どうでしたか」

「事情を話すと、保険会社の人は、たいへん同情してくれましたわ。当社は、お客さまの幸福を第一の目標としています。もちろん、失踪のまま期限が来れば、すぐにお払い申します、と」

「当然、そうでなくてはなりません……」

医者は軽くあいづちを打った。そして、女がその先を話すのを待った。しかし、いくら待っても、女は口をつぐんだまま。顔色は青ざめている。医者はうながした。

「それから、なにが起ったのですか」

「それが、とても……」

「どうぞ、お話しになって下さい」

女は何回か言いかけてやめ、そのあげく、努力して口を開いた。

「きたんですの」

「保険金がですか」

「いいえ、夫が帰ってきたんですの……」

女は、また言葉をとぎらせた。医者もなんと言っていいものか、しばらく迷ったようすだったが、やがて言った。

「それはよかったですね」

ほかに、適当な文句もないようだ。

「それはそうなんですけど……」

女にしてみれば、たしかに複雑な心境だろう。年月がたってすべて一段落しようとする寸前、夫が戻ってきた。簡単には、語りつくせないものがあるにちがいない。

医者は話題を変えた。

「戻られたご主人に、お聞きになりましたか、なんで失踪なさったのかを」

「ええ、要領をえない答えですの。一種の記憶喪失にかかっていたらしいとかで……」

「なるほど。そういった症状も、たまには起りうることです。失踪の期間、どこかで別人となって生活していたのでしょう」

「起りうるといっても、でも、なんだか信じられないことで……」

女の悩みは、このへんにあるらしかった。医者は、そこへ焦点を当てて質問した。

「どこでどんな生活をしていたのか、少しもわからない。あなたは、そこに恐怖のようなものを感じるのでしょう」

「ええ、それもありますわ。だけど、それともちがうんですの」

「どう、ちがうんですか。ご主人は、以前の生活に戻られたんでしょう」

「ええ。新しくつとめ先を見つけ、毎朝ちゃんと家を出て、夕方には帰ってきます。でも、ちがうんです」

女は、ちがう、という言葉をくりかえした。医者は聞いた。

「なにが、どうちがうんですか。そこを、はっきりおっしゃって下さい」

「以前の夫と、ちがうんです。つまり、帰ってきたのは、あたしの夫じゃないんですの」

女はひと息に言って、さらに青ざめ、身をふるわせた。

「まさか……」

「いいえ、本当です。あたしには、わかるんです」

「別人だと、おっしゃるのですね。なぜ、そう断定できるのですか」

「そこは、はっきり言えませんわ。たしかに、顔つきやからだつきは、あたしの夫にそっくりです。でも、あの人は絶対に夫ではありません」

「どうも、弱りましたな。気のせいでしょう。長いあいだ会わずにいて、あきらめかけていた。そこへ戻ってきた。すぐ以前のようにはなれないでしょうが、おたがいに努力すれば、やがてはうまくおさまると思いますよ」

「ええ、あたしも最初は、そうしようと努めました。しかし、だめなんです。そんな気持ちに、なれませんの。努力すればするほど、あの人が別人に思えてくるんです」

女は強く主張した。なんとかわかってもらおうと、何度もくりかえす。それに対して医者は言った。

「失礼ですが、こんな原因じゃないかと思いますよ。あなたは、ひとりぐらしになれてしまった。のんきで楽しい毎日だった。順調ならば、たくさんの保険金が入り、その生活がずっとつづくところだった。それなのに、ご主人が帰ってきて、その夢が消えてしまった。この不満が心の奥につもり、ご主人をみとめたがらないのでしょう」

「いいえ。そんなことでは、ありません。絶対に夫ではありません。ちがうんです」

女は自分の妄想《もうそう》とはみとめようとしなかった。頑強《がんきょう》に別人だと主張しつづける。医者は、またも冷静な口調で言った。

「いかにも確信がおありのようですが、理由はなんなのです。失礼かもしれませんが、じつは、ご自分がご主人を殺し、世の中には失踪と言いふらしていたのとちがいますか」

無遠慮な言葉に、女は目を丸くし、手を振りながら答えた。

「とんでもないことですわ。前にも警察は、そんな疑いを持ったようです。巨額な保険金がついていると、こんな場合、まず受取人が疑われるようですわ。床下《ゆかした》から庭まで掘りかえされてしまいました。でも、あたしはそんな恐ろしいことはしていません。警察の専門家をごまかして完全犯罪をやるような才能など、ありませんもの」

「では、なぜ別人だと……」

「そうとしか考えられないんですもの」

議論は振り出しに戻ってしまう。ここで医者は、話題を最初にかえした。

「やっかいなことに、なりましたな。で、あなたがわたしのところへいらっしゃったのは、なぜなのですか。ご主人との精神的な断層に悩んでいるのでもない。別人だというのは妄想でもない。となると、なにがお望みで……」

「あたし、自分を診察していただくつもりはありませんの。先生にお願いして、あの別人の正体をつきとめていただきたいのです。それでうかがったのですわ」

「なるほど、なるほど。そうでしたか。わかりました。では、よく言いくるめて、ご主人を、いや、ご主人らしき人物を、ここへよこして下さい。わたしが調べてあげましょう」

「よろしくお願いしますわ」

女はあいさつをし、帰っていった。

つぎの日、問題の男がやってきた。医者はなれた手つきで診察し、すぐに言った。

「ははあ、アンドロイドですな。死んだ男とそっくりに作られた、精巧な人造人間の……」

「どうして、それを……」

「それぐらい、すぐにわかりますよ。わたしの目は、ごまかせません。保険金はあまりに巨額だ。できるものなら、支払いたくない。そこで保険会社は、写真や記録をもとに、アンドロイドを作る。保険加入の時の検査で、資料はそろっているから、作りやすい。それを派遣し、生きて戻ったように形をととのえる。合理的な方法です……」

「そこまで見抜かれては、先生をほってはおけない。この秘密がもれたら一大事です。お気の毒ですが……」

男は立ちあがり、飛びかかろうとした。しかし、医者はあわてることなく、あいかわらず冷静な口調で言った。

「およしなさい。意味のないことです。ここの医者は前にその真相を知り、殺されてしまいました。わたしはそのあとがまに、保険会社で作られて派遣された、あなたと同じアンドロイド……」

応接室

ちょっとひまができたので、アール氏はエフ博士の家を訪れ、玄関のベルを押した。アール氏はエフ博士に、かなりの金を貸してある。だが、返済の期限がとっくに来ているのに、いっこうに返しにこない。

そこで知人などにたのみ、取り立ての交渉に行ってもらった。しかし、だれもかれも成果をあげずに帰ってくる。少しも、らちがあかない。アール氏はがまんできなくなり、自分で出かけたというわけだった。

きょうこそ、よく事情をたしかめてやる。それにしても、ふしぎでならなかった。エフ博士はまじめな学者で、いいかげんな性質の人物ではない。借金取りをうまく言いくるめる才能など、ないはずだ。

それなのに、みな手ぶらで帰ってくる。いったい、なにに金を使ったのだろう。ばくちや酒に使い果したとも思えない。こう考えると、好奇心も高まってくる。

アール氏が玄関のベルを押すと、ドアのそばのスピーカーが声を出した。

「いらっしゃいませ。どなたでしょうか」

「博士に会いに来た。わたしだ……」

アール氏が名を告げると、声が答えた。

「よくいらっしゃいました。あいにくと博士はいま留守ですが、まもなく戻ると思います」

「それなら、なかで待たせてもらうよ」

ここで引きさがっては、わざわざやってきた意味がない。声はそれに応じて言った。

「どうぞ、どうぞ。お入り下さい。玄関を入って右側の応接室で、おくつろぎ下さい」

カチリと音がし、鍵が自動的にはずれ、ドアが開いた。

アール氏が入ると、声の告げた通り、右に応接室があった。そう広くはないが、テーブルとやわらかそうな椅子とがあった。それにかけると、また、どこからともなく声がした。スピーカーが壁にでもしこんであるのだろう。

「花のにおいはいかがですか」

「ああ……」

「バラ、ユリ、ラベンダー、スズラン。どれがお好きでしょうか」

「バラがいい」

答えに応じて、空気がそうなった。つづいて、またも声。

「お待ちになるあいだ、なにかお飲みになりますか。コーヒーでもお酒でも、お好きなものをおっしゃって下さい」

「では、白ワインでも飲むかな」

アール氏が答えると、それはそこにあらわれた。彼はそれを飲みながら、つぶやく。

「なるほど、便利なものだ。博士の作ったものだろうが、なんのためにこんなものを研究しているのだろう……」

理由はわからないが、そういやな気分ではなかった。しばらくすると、また声が話しかけてきた。

「お退屈でしょうから、お話し相手をいたしましょう。小話でもいたしましょうか。ある精神病医のところに、自分を魚だと思いこんでいる患者が来ましてね……」

小話は五つほど語られた。それぞれに対するアール氏の反応は、すわっている椅子のなかの装置で調べられた。その結果、彼は女好きであることが判明した。それにもとづき、声が言った。

「博士はまだ戻りませんが、この部屋には上映の用意もございます。それでも眺めてお待ちいただきたいと思います。きっと、ご満足いただけるでしょう。どうぞ……」

部屋は暗くなり、壁にはスクリーンが出現し、その上に映像がうつされた。ラブシーン特集といったようなものだった。

音楽とともに、映像がつづいた。同時に、椅子のなかの装置はアール氏の喜び方を測定しはじめる。どのようなタイプの女性を好むのか、活発なのがいいのか静かなのがいいのかを調べるのだ。

また、どのような音楽がいいのかをも。それだけではない。アール氏がどのような

色彩を好み、どの程度の温度や湿度で最も気分がくつろぐのかをも……。

データが判明するにつれ、すぐそれが実現する。その好みが、丸顔でちょっとふとっていて活発な女性とわかると、画面に出てくる女性はそのタイプのが多くなるよう、さりげなく調節された。服の色も合っている。

見ているアール氏は、まんざらでもない。それればかりか、音楽も心にぴったりだし、いいにおいもただよっているし、室温もほどよくなる。

グラスの酒がなくなると、すぐにおかわりが出てくる。画面の美女は踊り、こちらにむかってウインクをする。

アール氏がいい気分になったことは、椅子の内部の装置でキャッチされる。ほどよい状態に達した時を見はからい、映像は終る。室内はすぐには明るくならず、うす暗いままだ。彼が幻を追っていると、スピーカーから声がする。こんどは女の声だ。

「お気に召しましたでしょうか……」

「ああ、なかなか楽しかった」

「もう少し、お話し相手をいたしましょうか」

「ああ……」

うすぐらい照明の応接室のなかで、女の声だけがつづく。その声はいうまでもなく、アール氏の心にぴったりの声なのだ。

「詩はお好きでしょうか。朗読してさしあげましょう」

こんどは、なんとなく高級な気分にさせられた。荒れはてた庭が、腕のいい造園師の手にかかり、美しくととのえられてゆくようだった。勢いこんでいたアール氏の心は、なめらかにさせられてしまう。

いろいろと話がはずみ、アール氏は暗示にかけられたような気分になる。いや、暗示そのものといっていい。椅子からの連絡に呼応して、すべてが進展しているのだから、なにもかもスムースだった。

やがて室内が明るくなる。アール氏は夢からさめたように、腕時計を眺めて驚いた声でつぶやく。

「や、もうこんな時刻か。すっかり時間をつぶしてしまった。そろそろ帰らなければならない……」

気の抜けたような表情で、急ぎ足で帰ってゆく。

しばらくして、エフ博士は自分の家に戻ってきた。

「留守中に、だれか来たかな……」

と装置の記録を調べる。きょうは本当に外出をしていたのだが、在宅してて訪問者が借金取りの場合には、応対を装置にまかせ自分はかくれている場合もある。

装置の記録から、アール氏の訪問があったことを知った博士は、うなずきながら言った。

「しかし、ぶじに帰ってくれたようだ。彼から借りた研究資金でできたものだが、わたしの発明品の作用はすばらしい。借金取り撃退装置とは、いままでだれも作らなかったものだろう。この権利を売れば大金も入るのだが、世の中で悪用されても困る。まあ気の毒だが、しばらくこのままで、アール氏にはがまんしてもらうことにしよう」

特殊な症状

ある日の午後。住宅地のなかで小さな医院を開業している中年の医師、福原のところへ、ひとりの女が訪れてきた。

福原は内科を専門としていたが、多くの開業医がそうであるように、たいていの患者を扱った。そう厳密なことをいっていては、経営が成り立たない。しかし、手におえそうもないと見た時は、すぐその専門医を紹介することにしている。で、順調な営業状態といえた。

その女は、なにか浮かぬ顔をしていた。もっとも、にこやかな表情で医師を訪れる者はあまりいない。福原は、事務的な口調で話しかけた。

「はじめてのかたですね。では、まずお名前とご住所を……」

「あたくし、佐田春子、二十七歳、住所は……」

女はすらすらと答えた。この近くのマンションに住んでいる。結婚しているが、子供はまだない。夫は和男といい三十歳、会社での仕事は販売部門……。

ひと通り聞き終ってから、福原は病状を質問した。

「で、どこがお悪いのですか」

「ええ、それが……」

春子という女は急に口ごもった。微妙な、なぞめいた雰囲気を発散した。まあ、話しにくい病気もあるさ。福原は黙っていた。へたにうながすと、逆効果になることもある。患者は決心して出かけて来たのだし、待てばやがて話しはじめることを経験で知っていた。案のじょう、女は思い切ったようすで先をつづけた。

「……じつは、あたしのことではありませんの。うちの主人のことですの」

「それでしたら、ご本人がいらっしゃるべきでしょう」

福原はカルテに記入したことがむだになり、眉《まゆ》をしかめた。だが、これも商売、不満を声には出さなかった。女は弁解をかねて説明した。

「でも、そうもいきませんの。精神的なことですので」

「愛情問題とか、家庭内のごたごたの相談でしたら、おかどちがいです。わたしは医者にすぎません」

「いいえ、精神的といっても、そんな意味ではございませんわ。あの、頭のことですの」

「ああ、き……」

福原はうなずいた。気が変になったのか、と言いかけ、あわてて言いなおした。

「気分のあらわれが正常でない、というわけですね」

「ええ、でも、本人は正気だと思っているようですわ」

少しずつ、事態がわかりかけてきた。亭主にむかって、医者へ行って頭をみてもらっていらっしゃい、とは言えない。なんでもなくても、本当に悪くても、いずれにせよ一問着《ひともんちゃく》おこる。妻がそっと相談に来た理由が、なっとくできた。

福原は質問を進めた。

「で、実際問題として、日常の行動でどんな点がおかしいのですか」

「べつにありません」

「それでは、お答えのしようがありませんよ。異常な点が、まったくないとなると」

「まったくではありません。夜になって眠ってから……」

「日常の行動というのは、夜も含めてのことですよ。で、どうなるのです」

「毎晩、眠りについたかと思うと、しばらくたって不意に起きあがり、部屋の中を歩きまわるのですわ。意味もないことを、つぶやきながら。声をかけてもだめ。つかまえようとしたこともありましたけど、強い力で突き飛ばされてしまいました。そのうち、やがて寝床に戻り、朝までぐっすり眠るのです。起きている時、それとなく聞いてみましたけど、本人は少しも覚えていないのです」

「ははあ……」

「はじめは寝ぼけたのかと思いましたけど、毎晩つづけてとなると、ちょっと普通とは考えられなくて……」

　それらをカルテに記入しながら、福原は言った。

「夢遊病かも知れませんな」

「どうなるんでしょう。あたし、心配で心配で……」

「日中が正常なのですから、そう重症ではありません。しかし、心配だけでは解決しませんよ。もっとくわしくお話し下さい。それは、いつごろからなのです」

「少し前に、主人は三日間の出張をしました。それから帰ったころからです。でも、あたしの気がついたのがその時ですから、あるいは、もっと前からかも……」

「なるほど」

「お薬かなにか、いただけません。お願いしますわ」

　春子の性急な要求を、福原は押しとどめた。

「さしあげないこともありませんが、本人を診察してからでないとだめです。ここへ来るよう、すすめて下さい」

「でも、そうあからさまには……」

「疲れているようだから、念のための健康診断。そう言えば、当りさわりもないでしょう」

「ええ。やってみますわ。あの、それから、このことは内密にしておいていただきたいんですけど」

春子は念を押した。医者に出かけてこんな話をしたことが夫にばれ、気まずくなる場合を恐れているようすだった。もっともなことだと、福原はそれを察した。

「もちろんですよ。医者は、秘密を守らなくてはなりません。たとえばこのカルテですが、裁判所の命令によって法律的な手続きをふんだ上でもない限り、絶対にもらせないことになっています」

と、カルテを棚におさめた。それを見て、春子は安心したらしく、元気が出たのか、少し笑顔になり帰っていった。


つぎの日の夕方。

医師の福原は、男の客を迎えた。名前を聞くと、佐田和男と答えた。ははあ、昨日の女がうまくすすめたのだなと思ったが、そんなことは態度にあらわさなかった。

佐田という男は健康そうであり、目つきや口調にも特に異様さは感じられなかった。しかし、どことなく悩みを持てあましているようにも見えた。それを聞き出し、解放してやりさえすれば治療が可能ではないか。

福原はさりげなく、いつも初めての患者に対しているのと同じに聞いた。

「どうなさいました」

「じつは、妻が……」

「ああ、奥さんでしたら、昨日おみえになりましたよ」

「ええ、それは知っています。念のために健康診断を受けてきた、あなたもいってみたら、とすすめられたのです。それを聞いて、出かける気に……」

「やはり、なにか自覚症状がおありですか」

福原は身を乗り出し、男の顔をのぞきこんだ。だが、佐田は苦笑《にがわら》いし、あわてて打消した。

「あ、誤解なさらないで下さい。ぼくは、なんともありません。ぼくが心配でならないのは、ワイフのことです」

「しかし、奥さんは健康でしたよ」

福原は断言した。くわしく診察はしなかったが、病人らしい点は皆無だった。まあ間違いはないだろう。

「もしかしたら、お気づきにならなかったのかな。肉体的なものでなく、精神状態のほうなのですから」

それを聞いて、福原は思わず頭に手をやった。こっちまでおかしくなりそうだ。もっと事情を聞いてみることにしよう。

「どんなふうにです」

「なんといいますか、時どき放心状態になります。とつぜん体操のようなことをはじめたりし、そのことは本人はまったく覚えてないようです」

「もっとくわしくお話し下さい。たとえば、夜の睡眠が充分かどうかなど」

福原にうながされ、佐田は思い出したように言った。

「その夜なのですよ、問題は。不意に叫んで起きあがり、不可解なことをはじめます。低い声で歌いながら、視点の定まらない目で台所へいって鍋をいじったり、本棚の本を開いてみたり……」

佐田は手で目をおおった。妻のそんな行動を目撃した夫として、不安と悲しさを感じるのは当然のことだろう。

「それからどうなるのです」

「ぼくが見ていると、やがて物をもとに戻し、眠ります。朝になると、なにごともなかったように、さっぱりしてます。これが続くのですから、心配でなりません。先生、ぼくの心痛をお察し下さい」

同情するよりも、福原は全容を聞くほうが先決だった。

「いつごろのことです」

「ぼくが出張から帰ってからですから、十日ほど前からではないかと思います」

「うむ……」

福原は腕を組み、思わずうなった。うなる以外に言葉を出しようがない。その動作を見て、佐田は聞きかえした。

「そんなに重症なのでしょうか。ぼくとしては、なるべく入院させないですませたいのです。家庭でできる手当てがあったら、教えて下さい」

福原は男の顔をうかがった。しかし、そこにあるのは真剣な、妻を気づかう感情ばかりだった。どう指示を与えたものか、迷わざるをえない。ひとまず、当りさわりのない答えをしておくべきだろう。

「いや、たいしたことはないでしょう。しばらくようすを見て、それを知らせて下さい。はっきりした診断と対策は、それからです」

「よろしくお願いします。あ、ぼくがこんな話をしたことは、ぜひ妻には内密に……」

「承知しました」

そして、佐田は帰っていった。

これはどういうことなのだ。福原はため息をつき、頭を抱えた。

これ以上深入りせず、投げ出してしまいたいような気分だった。しかし、患者の訴えをほうっておくこともできない。まず、春子の主張を取りあげる。それによると、夫は毎晩、ねぼけたように室内をうろつく。だが、夫の言いぶんも同様だ。どっちが変で、どっちが冷静な観察者なのだろう。このままでは、ひどい矛盾だ。

二人そろって、おかしいのだろうか。しかし、そんなことは考えられない。時を同じくして夢遊病になったり、妙な幻想を抱きはじめるなど、聞いたことがない。たとえ、どんなに仲のいい夫婦としても。

それとも、二人とも正気なのかもしれない。ありえない話ではない。二人でしめし合せ、からかいにやってきたのかもしれない。しかし、ひまと金とをかけ、なんのためにそんなことをやるのか理由が見つからぬ。自分は彼らにうらまれる覚えもなく、また、自分がからかいの対象にぴったりの人間とも思えない。

それに、二人の態度からは、冗談めいたものは少しも感じられず、切迫した印象さえ受ける。どうやら、この仮定は無理なようだ。

福原は考えあぐね、その方面を専攻した友人に電話をかけた。しかし、その返事は笑いながらのものだった。

「おいおい、おかしいのは、きみ自身じゃないのかい。そんな実例があるのなら、ぜひお目にかかりたいものだ。こっちへ回してくれないか。大論文が書けるかもしれない。もっとも、本当に存在するならばの話だがね」

頭からばかにされ、福原はあきらめた。患者を押しつけるのはいいが、友人たちのあいだで笑いものにされるのも困る。また、いまの電話のなにげない言葉で、惜しくなってきた。

ひょっとしたら、本物の珍しい症状なのかもしれない。解明できれば、学界の話題ともなり、福原症状と自分の名が冠され、後世に残らないとも限らない。学生時代に講義は受けたし、その後も本を読んでいる。やってやれないことはない。彼は自分で取組むことにした。

佐田和男と春子の夫妻は、それぞれ時をずらせてやってきた。そして、そのたびに、

「どうなのでしょう」

と福原に聞く。いずれも真剣な口調であり、対談中はもう一人がたしかに狂気であるように思えてくるのだ。また、その報告によれば依然として快方にむかっていない。しかし、時をおいて、その快方にむかっていないはずの人物がやってきて、身を乗り出して訴えるのだ。

福原は、いっそのこと二人を同席させ「いいかげんにしろ」と言ってやりたくなる。それで一挙に解決するかもしれない。

しかし、場合によっては、なにか恐るべき破局におちいらないとも限らず、その可能性のほうが強いように思えた。二人とも、言葉のはしばしに、時たま強い緊張感をひらめかせる。さらに二人から、相手には内密にと、堅く約束させられているし、その点からも採用できぬ手段だった。

ことによったら、と福原は想像した。離婚問題でも、からんでいるのかもしれない。相手を精神異常者に仕立てあげれば、無条件で離婚の理由ができる。

しかし、二人に膨大な財産がありそうにも思えず、あったとしても、同じ作戦を同時に思いついたというのも変だ。それに、この仮定を発展させられない最大の理由は、

二人が別れたがっていない点だ。いずれの口調にも、配偶者への愛情がこもっている。

福原はその同じマンションの住人が患者として来た時、世間話にかこつけ、佐田夫妻のことを聞いてみた。だが、べつに怪しげなうわさもなく、夫婦仲はよさそうであり、近所づきあいも悪くないらしい。つまり、不和や異常を裏付けるような話は得られなかった。いったい、これはどうしたことなのだ。

二人は思い出したようにやってきて、相手が快方にむかっていないと告げる。やむをえず、福原はそのたびに無害の栄養剤を与える。持って帰って、ひそかにおたがいに飲ませているのだろう。快方にむかわないのは、そのためかもしれない。

しかし、二人とも変なのか、二人とも正気なのか、一方だけが変なのか。それが不明なうちは、本格的な投薬もできない。しかも、その手がかりたるや、もう一人の口からしか聞けないのだ。異常が異常を異常だと報告してきたら、どう扱うべきか。禅問答のような形だった。

このままでは、手のつけようがない。ついに福原は意を決して、一歩前進を試みた。日曜の昼ちかく、佐田の住居を訪問してみることにしたのだ。なにか、新事実がつかめるかもしれないと期待して。

さいわい二人は在宅だった。しかし、気をつかうことおびただしい。おたがいに福原に対して意味ありげな目くばせをし、よく観察なさいとのサインを送ってくる。それでいて二人は仲がよさそうであり、越えがたい心の断層らしきものは感じられない。そ
しかし、そのうち福原はあることに気づく。二人は目くばせをする時、ついでに高い所についている小さな押入れのほうにも、ちょっと目をやるのだ。このほうは意識してでなく、押えされない衝動でそうしてしまうようだ。恐れと不安がまざり、気になってならないという印象だった。タブーのご本尊が、その奥にひそんでいるかのように。

ここに、なにか関連がありそうだ。しかし、そこになにが存在し、どんな原因となっているのかは、まるで見当がつかない。福原は立ちあがって押入れを開いてみたいのを、押えつけるのに苦心した。第一に失礼であり、第二にその行為がどう発展するのか、保証できないからだった。

その日、福原はそのまま引きあげた。

だが、気になってならない。それへの誘惑は、ますます高まる。そのあげく、彼は非常手段に訴えた。忍び込んで調べるのだ。良心は少し痛んだが、好奇心はそれに勝った。また、病気の究明と治療という大義名分で、自分をなっとくさせた。

しかし、はたしてうまく忍び込めるかどうか。そのほうが問題だった。福原は佐田が会社から帰る前、春子が夕方の買物に出かける時刻をねらった。物かげで待ちかまえ、マンションへ入った。

ドアの上のほうを手でさわると、鍵が触れた。不用心ではあるが、ほうぼうの家庭でやっている。それを使うと、たやすくドアが開いた。まっすぐに押入れの前をめざし、ためらうことなく戸をあけた。

そこにあったものは、包みが一つ。紙で包まれ、ひもで厳重にしばってある。彼は手にとってみたが、それだけでは内容を想像できなかった。

だが、あけるとなると、時間がかかる。なかを調べ、もと通りにひもをかけなければならない。そのうち帰宅されたら、言い訳もできない。福原はとっさに判断し、持ち出すことにした。内容を確認してから、あとでまた返しに来てもいいし、郵送してもいい。返却すれば、許せない行為にもならないだろう。

包みを抱え、医院へと帰りついた。しかし、玄関を入った時、見知らぬ男が声をかけてきた。いつのまにか、あとをつけてきたらしい。

「その包みは、どこから持ってきたのですか。わたしは警察の者です」

と手帳を示された。どうやら最悪の事態になってしまった。空巣の現行犯ということになる。だが、なぜ、こう早く不審尋問されたのだろう。わが国の警察は、こんなに優秀だったのだろうか。

「いや、これはわたしの患者の物で、じつは、治療上絶対に必要なので……」

福原の応答はしどろもどろだった。刑事はさらに追及した。

「あなたはこの内容を、もちろん、ご存知なのでしょうね」

「知りませんよ。わかっていれば、持ち出したりはしませんよ」

正直に答えたのだが、刑事は疑いの表情を示しつづけた。

「そんなはずはない。知っているからこそ、持ち出したにちがいない」

どんな根拠があるのか、あくまでそう主張する。相手は刑事であり、こっちは弱味がある。どうしようもなくなり、佐田夫妻に確認してもらうことにした。医者としての信用を落すことにはなるだろうが、窃盗罪で連行されるよりはいい。もっとも、夫妻にあくまで否認されたら、絶望的なことになるが。

刑事とともにマンションに戻ると、佐田夫妻は在宅していた。彼らは福原と刑事とを見て、非常に驚いたようすだった。その組合せの奇妙さのためだけではなさそうだった。さらに、問題の包みを出されると、青ざめて震えはじめた。たしかに、ただごとではない。

刑事は、その包みをあけにかかった。

佐田夫妻は観念したように、ますます哀れな表情になった。ひもがほどかれ、紙が広げられた。

なかから出現した品を見て、福原は叫び声をあげた。かなりの額の札束で、黒っぽいよごれがしみついている。それが血液であることは、医者としてすぐわかった。

それなのに、佐田夫妻も刑事も、内容に関してはそう驚かなかった。あらかじめ知っていたようだ。福原はたまりかねて言った。

「これは、どういうことなのです」

それには刑事が答えてくれた。

「じつは、殺人をし、金を奪った犯人がいたのです。そいつは金の包みをかかえて逃走し、われわれ警察はこのあたりに追い込みながら、一時、見失ってしまいました。しかし、まもなく発見し逮捕しました。だが、金の包みはどこかにかくしたらしく消えてしまい、本人も白状しない」

「この近所を、聞いて回ればよかったでしょう」

「そうおっしゃっても、協力的な人ばかりとは限りません。つい出来心でということもありますよ。大っぴらにしたら、時ならぬ宝さがしがはじまり、大勢がこの一帯に押しかけ大混乱です。やむをえず秘密にし、じっと監視していたところです。そこへ、あなたが問題の包みを持ってあらわれた……」

　聞いていた佐田が口をはさんだ。

「そうだったのですか。刑事のような人が、このへんをうろついていたのは」

「あたしも知らなかったわ。てっきり……」

と春子も同じように叫んだ。刑事はふしぎそうに聞いた。

「どうお思いになったのですか」

　佐田と春子はこもごも答えた。

「出張から帰って、押入れのなかに見なれない包みを発見し、なかをのぞくと血のついた札束。まさか泥棒が苦しまぎれに忍び込んで、一時のかくし場所にしたとは思いませんよ。もしや、ワイフがやったのではないかと悩んだのです。詰問して自首をすすめる勇気もなく、刑事さんらしい人が近くを見張っているし……」

「あたしは、出張さきで主人が……」

　福原は、やっと本論の質問を試みた。

「これが、それと関係があるのですか」

「ぼくはワイフを愛している。春子がやったにしろ、なにか事情があってのことだろうと信じたわけです。発覚しなければいいが、つかまったとしても、ぜひ助けたい。そこで、万一の時の用意に、犯行時に精神障害があったという工作をしておこうと……」

「あたしもそうだったのよ。裁判になった時、法廷からの命令で先生のカルテを調べてもらえば、こんないい証拠はないだろうと……。だけど、まさか二人そろってそんなことをやっていたなんて……」

福原は佐田夫妻にむかって言った。

「やれやれ、そんな原因だったのでしたか。しかし、もう再発することはないわけですな」

それから、刑事にむかってはこう告げた。

「お聞きのように、わたしのやったことは治療行為に含まれるものです」

どう答えたものかと面くらっている刑事をあとに、福原はその場をはなれた。帰る道で、こんなことを考えながら。

なぞはとけたというものの、とても学界に発表できる材料ではない。しかし、前例のない珍しい新症状であったことはたしかだ。だから、自分がこれに福原症状と名づけたからといって、どこからも異議は出ないにちがいない。

ねむりウサギ

ある日のこと。パーティーでウサギが酒を飲んでいた。スタイルも身だしなみも、頭の回転も悪くない。プレイボーイを絵に描いたようなウサギだった。巧みな冗談をしゃべり、あたりの女性たちを引きつけていた。

その時、ひとりの女が、いじの悪いことを言った。

「でも、あなた、競走じゃカメに勝てないんでしょ」

これが、そもそもの悲劇のはじまり。この言葉は、ウサギのデリケートな心をぐさりと刺した。たまたま、そばにカメがいたのもいけなかった。カメは、面白くもおかしくもない顔と、鈍重そうな手つきで飲んでいた。こんなやつと比較されるだけでも不愉快なのに、劣るなどと言われては前後を失う。

ウサギはカメの前に立ち、興奮のふるえ声で言った。

「侮辱されて、だまっているわけにはいかぬ。競走だ。どちらが早いか、正々堂々と勝負しよう」

どことなく論理がおかしいが、気の立っている時にはよくあることだ。

「いいでしょう。では、あすにでも……」

カメは、ぼそぼそした口調で答えた。自信ありげな口ぶりともとれる。会話を耳にし、近くにいたアニマル・トリビューン紙の記者は、うれしそうな声をあげた。

「それはいい。画期的だ。なぜ、だれも今まで、この企画を考えなかったのだろう。立会人に、なってあげましょう。そのかわり、記事の独占権を下さい」

これも妙な発言だったが、周囲の歓声のなかでは、気にする者などいなかった。

さて、翌日。

両者は出発点に集った。前夜たんねんに風呂で洗いあげたため、ウサギの毛は純白に輝く。耳につけた深紅のリボンはあざやか。からだじゅうの筋肉は鋼鉄のバネのごとく、すべてがリズムにみちていた。

カメのほうは、とくに描写するほどのことはない。のそのそと動いているだけだ。

やがて立会人が告げた。

「わたしの合図で出発する。決勝点は、むこうの丘の上。そこに友人のカメラマンが待っていて、勝負を判定してくれる。さあ……」

スタートの号砲が響き、レースは開始された。ウサギの走り方は、まさに一級の芸術品。風を切ってというより、自己が一陣の風と化し、大気のなかを流れ去った。観客に与えるその効果を、ウサギは自分でも意識していた。その美しいスタイルとペースを乱すことなく走りつづけ、丘の上へと到達した。

得意と謙虚さのみごとに調和した、ゴールインの姿勢をしばらくとりつづける。もう写真はとりおえたろうと、あたりを見まわしたが、だれもいない。

スタイルのほうに気をとられ、ウサギは丘をまちがえたのだ。まさか出発点の目の前にある丘とは知らず、はるかかなたまで来てしまった。これはいかん。いったい、

決勝点はどこの丘なのだろうか。しかし、近くには聞く相手もいない。

あちらこちらの丘をかけまわり、さがしあぐねて出発点に戻り、そこであらためて確認して出なおした。しかし、いくらなんでも、不安と疲労とでぐったりした。丘の中腹で力つきて倒れ、そのあいだにカメは頂上にたどりつき、ウサギはみじめな敗北を喫した。

これでは気分がおさまらない。

「わたしのほうが早いことは、はっきりしたはずだ。こんなことで判定されては、面白くない。あなただって、そうだろう。もう一回やりなおそう」

「いいでしょう」

あいかわらず表情のない答えだったが、カメが承知したので、ウサギは喜んだ。かんちがいさえしなければ、負けるわけがない。友人たちを集めて、大宴会を開いた。

「あすの競走は、ぜひ見に来てくれ。べつに応援などは、しなくていい。ばかばかしくて、とても正気ではできない試合だ。きょうは大いに酔っぱらおう。みなも飲んでくれ。前祝いだ」

グラスを重ね歌をうたい、朝まで飲みつづけ。そして、一睡もせぬ赤い目で出発点に立った。号砲とともにウサギは走った。本人は走っているつもりでも、前のめりになりながらの千鳥足。丘の途中でついに睡魔に襲われてひとねむり、またもカメに追い抜かれた。

「ぜひ、もう一度……」

「いいでしょう」

二度も失敗し、ウサギは慎重になった。少し日時をおき、体調をととのえ、遊びをやめ、ひたすらレースにそなえた。もはや負けられぬ。勝たねばならぬ。最後に勝つ者が笑う者だ。

いや、逆だったかな。どっちが正しい文句だろう。前夜、妙なことが気になり、辞書で調べたりしているうちに、緊張で頭がさえてきて、なかなか寝つけない。眠ろうとすればするほど……。

やっと眠れたのは、つぎの日に出発点からかけ出し、丘の中腹あたりに来た時だった。

「こんなはずはない。もう一度……」

今回の失敗にこり、ウサギは試合前日の不眠にそなえた。すなわち、睡眠薬を買ってきて飲んだのだ。たしかに、薬の作用はすばらしかった。ぐっすりと眠り、目がさめてみると、自分は丘の中腹にいる。友人に聞くと、どうしても目をさまさないので、むりやり連れてきて、出発点から押し出したのだという。しばらく夢遊病者のごとく歩いたが、やがてばったり倒れてしまったのだそうだ。

「たのむ。あと一回だけ……」

ウサギは、あわれな状態におちいった。勝って当り前、負ければ恥という試合で、連敗しつづけているのだ。友人たちも、よそよそしくなる。友情とはもろいものだ。かげで勝手なことを、ひそひそささやきあう。

「あいつ、少しおかしいんじゃないのか」

「気が変でないのだったら、カメに買収されたにちがいない。よくあることとはいえ、なんと情けないやつだろう」

これらのいまわしいうわさを打消す方法は、ただひとつ。勝利しかない。ぜがひでも、丘の頂に到達しなければ。しかし、何回やっても、中腹あたりに来ると眠ってしまう。

といって、あきらめることは許されない。プライドの問題だ。古人の教えにもあったではないか。わが最大の誇りは一度も失敗しないことではなく、倒れるたびに起きあがるところにある、と。

ウサギは自己の精神をきたえなおすべく、読書にはげんだ。そして、コーヒーを飲んで競走にのぞんだこともあった。だが、インテリになりすぎたのも、よくなかった。走っている途中で、ギリシャの哲学者の、ウサギは前にいるカメに追いつけないとの説が頭に浮かんできた。カメがいた地点まで行った時には、カメはその先にいる。そこにたどりついた時には、カメはさらに先とかいう論理だ。

そういえば、その通りだ。永久に追いつけないことになる。こんなふしぎなことが、あっていいのか。ウサギは腰をおろし、説の誤りを発見しようと、ひたすら長い冥想《めいそう》にふけった。そのあいだにカメに追い抜かれ、いねむりをしていたのと同じ結果になった。

ウサギは読む本を変えた。ある偉大な独裁者の書いた本を読み、試合にのぞんでは大量の強壮剤を飲んだ。元気一杯、エネルギーは体内にみちあふれ、ロケット推進の重戦車のごとく走りだした。

途中、道ばたの岩にけつまずいたのがいけなかった。すさまじい勢いで頭が地面に激突し、そのまま気を失った。いねむりをしたのと同じことだった。

「しばらく修行に出かけてくる。帰ってきてから、あらためて競走をしよう」

「いいでしょう」とカメ。

ウサギは旅に出た。ネズミやリスなどと競走して勝ち、少しずつ自信をつけていった。さらに犬やシマウマにも勝ち、ついにはトラにむかって、こう申し出た。

「競走をしましょう。わたしをつかまえることができたら、食べられてあげます」

まさに必死の勝負。べつにトラが気を抜いたわけでもないのだが、流星のごとく突っ走るウサギには追いつけなかった。

旅から帰ったウサギは、カメとの競走を再開した。しかし、どうもうまくない。走りはじめたとたん、トラから逃げきった時の誇らしい思い出がよみがえって放心状態におちいったり、旅の疲れが出て眠くなったりする。われにかえった時には、カメはすでにゴールに入っている。修行の成果は、少しもなかった。

あきれた友人たちには見放されたが、ウサギの人気が落ちたわけではない。けっこうファンがついていた。弱者に同情する連中は、カメににくにくしさを感じ、ウサギを応援した。いつの日かウサギが勝つだろう。その瞬間をこの目で見たいものだと、彼らは見物に来るのだった。

逆に、ウサギはますますくさった。ある時は、やけをおこし、わざと負けてやってるんだという態度で競走した。丘の中腹に来た時、進んでごろりと横になり、カメの追い抜くのにまかせたのだ。それを見てファンは怒り、心からの忠告をした。

「なんです、いまのは。あんなことでは、いけません。あなたは、きっと勝てます。

わたしたちが、ついています。勝てる方法があるはずです。あくまでがんばって下さい」

ウサギは感激し、反省し、心を入れかえた。まず、科学的な検討にとりかかった。こう連続して負けるのは、丘の中腹になにか障害の原因となるものがあるからかもしれない。それを究明し、対策をたてればいいと考えたのだ。

ウサギは自分でも勉強し、時には専門家にたのみ、くわしく調査した。しかし、放射能もなければ、地磁気の異常もない。毒草もはえていなければ、毒虫もいない。

あるいは、肉体的なことに原因があるのかもしれぬと思い、徹底的な健康診断をした。しかし、心臓も血圧も視力も正常、気圧が少しぐらい変化しても影響はないはずだと告げられた。こう判明しても、依然として勝負は同じ。丘の中腹あたりに来ると眠くなり、カメに抜かれる。

となると、精神的なものかもしれない。ウサギは精神分析医を訪れた。最初の医者は、ウサギの悩みを聞いたあげく、もっともらしい口調で言った。

「あなたは高所恐怖症です。そのため、丘の頂へ行くのを、無意識にさけようとしているのです」

「なるほど、すぐ指摘なさるとは、さすがは先生です。で、なにかご注意を……」

「いいですか。高い所へ行かぬようにすれば、決して症状はあらわれません。おわかりですね。では料金を……」

さっぱり要領をえない。べつな分析医を訪れてみると、こう言われた。

「無意識のうちに、悲劇の主人公になりたがっているのです。まず、そんなつまらぬ考えを捨てることです」

とんでもない。悲劇の主人公になど、だれがなりたがるものか。しかも、これは喜劇ではないか。少しも事情をわかってくれない。さらにべつな分析医へ行くと、こうだった。

「丘というものはですな、女性の象徴です。あなたは女性に対し、なにか恐怖を抱いているのです。いるはずです。いなければならない。どうです、心当りは……」

いかに押しつけられても、ウサギにはなにも思い当らない。指示に不満なので、つぎには女性の分析医を訪れた。

「丘の頂というのは、男性の象徴ですわ。あなたは父親に対して、なにか劣等感をお持ちなのですわ……」

ウサギは分析医について、不信の念を持ちはじめた。さまざまなレッテルがはられただけのことで、事態は少しも変らない。

しかし、父親という言葉から思いつき、ウサギは図書館にかよい、古い記録を調べる作業に熱中した。むかしカメに負けたウサギが、自分の先祖なのかもしれないと思ったのだ。カメには絶対に勝てない遺伝因子を持った、宿命の家系ということもある。だが、いかに系図を調べても、そのような事実は発見できなかった。

あるいは、カメかその仲間が陰謀を計画し、走っている自分に催眠術をかけているのかとも考えた。その防止のため、目かくしをして走ったことがあった。その時は眠くはならなかったが、木にぶつかって気絶した。

ほかに調べてみたが、人為的な妨害の証拠はなかった。

こうなると、超自然的な力のためかもしれない。だれかの呪《のろ》いかもしれない。ウサギはあらゆるお祓《はら》いをした。自分をきよめ、自分の家をきよめ、道をきよめ、丘をきよめた。さらに、護符、マスコット、まじないの品のたぐいを各地から取り寄せて集め、身につけた。しかし、走っている途中でマスコットをなくし、それをさがしているうちにカメに抜かれたりするのだった。どうしても勝てない。

ついにウサギは、神に祈る心境となった。天にましますの神にむかって、このあわれなウサギの願いをかなえて下さるようにと祈った。

祈りが終ると、すがすがしかった。さまざまな雑念はすべて消え、からだは今までになく快調。きょうこそは必ず勝てる、勝つのは、きょう以外にありえないとの予感がした。

スタートとともに、ウサギは走った。丘の中腹も過ぎた。進むのをはばむ透明な壁が消えたようだった。もはや頂上は目前。もちろん、カメははるかあとだ。ゴールのテープにむかって、身を躍らせる……。

見物の連中はざわめいた。

「ウサギのやつ、また丘の中腹で倒れた。しかし、こんどは、ようすがおかしい」

近よって調べると、心臓がとまっていた。二度と目ざめぬ眠りだった。みなは頭をたれ、話しあった。

「ついに一度も、カメに勝てなかったな」

「しかし、なんという、うれしそうな死顔だろう。勝って喜んでいるようだ」

かくして、ウサギの一生は終った。アニマル・トリビューン紙は、ウサギのために大特集号を発行した。みなは死を悲しみ、丘は〈ウサギが丘〉と命名され、頂上には教訓的な碑がたてられた。だれがこのウサギを忘れることができよう。永遠にみなの心に住みつづけるのだ。これこそ人生なのだ。

だれひとり〈カメが丘〉にすべきだなどとは言わなかった。いったい、カメがなにをしたというのだ。なにひとつ面白いことを、してくれなかったではないか。物語にもお話にもならない。

そのうち死にでもすれば、紙面の片すみにのり、ああ、あの時のカメかと、読者がちょっと思い出す程度だろう。しかも、カメはなかなか死なないものなのだ。

趣　味

　順子は、ひとつの趣味を持っていた。日常生活におけるちょっとした不満は、それに熱中することで、たちまち消えてしまう。それどころか、趣味にたえず熱中しているために、不満が心にわいてくることすら、めったになかった。

　趣味といっても、茶の湯や生け花のようなありふれたものではない。まして、心霊術のごとき怪しげなものでもない。室内装飾がそれだった。

　これに順子が関心を持ちはじめたのは、大学に入ったころだったろうか。在籍は英文学科だったが、それはそっちのけで、建築や美術の教室にもぐりこんで講義を聞いた。また、外国から雑誌を取り寄せて読んだりもした。生れつきの才能もあったようだし、それに加えて好きで熱中したため、卒業のころには、なまじっかな専門家よりすぐれた感覚を持つに至った。

　さいわいなことに順子の家庭は裕福であり、彼女の行為を理解してくれた。女性の趣味として悪いことではないし、へたに押えて、もっと変なものに走られては困るからだ。

　卒業してからの外国旅行により、順子はこの分野における見聞を、さらに広めることができた。もちろん、それは彼女の才能になにかをプラスした。

　順子が最初に手がけた作品は、自分の家の模様がえだった。

　それも当然。いかに才能があっても、他人にはお嬢さん芸としかうつらない。初の冒険を試みるには、父にねだってやらせてもらう以外になかったのだ。ここまできては反対もできず、父はそれを許してくれた。

　彼女は興奮に酔いながら構想をねり、計画を立て、資材を集め、指揮をし、そして完成した。いくらか古風な父の性格にあわせ、和風ムードを基調とし、それに明朗さをあしらったものだった。みちがえるような変り方。

　まっさきに父親が感心した。

「これは驚いたな。順子にこれだけのことができるとは、思わなかったよ。なんだったら資金を出すから、どこかに事務所をもうけて、本格的な仕事にしたらどうだね」

　しかし、順子はさほど乗り気でなかった。

「あたしの芸術愛好は、趣味なのよ。お金もうけには、あまり関心がないの」

「そういうものかな」

と父はうなずき、それならそれでいいと答えた。べつに金に困っているわけでもない。また、娘が商売の面白さを知り、それに夢中になって婚期を逸することも歓迎すべき事態ではない。このほうがいいのかもしれない。

開業はしなかったが、順子は知人からたのまれれば喜んで相談にのり、知恵を貸した。けっこう依頼者があった。模様がえの前の家を知っている訪問客は、すぐに彼女の才能をみとめた。そして満足し、友人にも推薦してくれる。かくして、腕をあますこともなく、心ゆくまで趣味を楽しめた。

やがて、順子はひとりの男と知りあい、結婚した。もっとも、結婚前の交際期間に、当然のことながらこんな会話がかわされた。

「趣味を、なにかお持ちでしょうか」

と男が聞いた。型にはまったありふれた質問だが、とぎれた話題を埋めるにはちょうどいい文句だ。

「室内装飾ですの」

順子はひかえめな口調で、しかし明瞭《めいりょう》に答えた。読書や音楽鑑賞といった平凡なことでないのに、内心で誇りを持っていた。

「けっこうな趣味ですね」

と男はいくらかほっとした。スピードが好きだったり、派手なパーティーを開くのが趣味だったりしたら、ちょっと考えなおしたくもなる。だが、室内装飾とは、どことなく近代的で上品で、しかも安全無害ではないか。

「あたし、結婚してからも、この趣味をつづけてもいいかしら」

順子が聞くと、男は答えた。

「もちろんですよ。大いにつづけてください。ぼくはどちらかというと、仕事が趣味といったところです。自分ではなにもやりませんが、趣味への理解はあるつもりです。室内装飾とは、すてきではありませんか。その趣味を生かして、うるおいのある生活を築いてもらえれば、こんなうれしいことはありませんよ」

まじめそうな男であり、順子は結婚してもいいと思った。仕事が趣味という男のほうが、仕事をいいかげんにして趣味に熱中する男より、はるかにたのもしい。

と同時に、彼女はこの人にぴったりの室内装飾はどんなムードにしたらいいかと、考えはじめてしまうのだった。

かくして、めでたく二人は結婚した。また、順子の父が出してくれた金で、郊外に新居をかまえることができた。

しかし、はじめのうちの生活は、少し変っていた。

ふつうなら結婚とともに、家財道具がどっと不統一に運びこまれ、個性もなにもない状態になってしまう。人間のほうが、それに順応しなければならないのだ。順子はこれまでに、その前例をいくつも知っており、それを避けるべく注意した。家具類は調和を保って、徐々にそろえるほうがいいと提案したのだ。

夫はそれを承知した。彼女の趣味を尊重するという約束を、以前にしてしまっている。また、新婚当初というものは、家のなかがたとえ殺風景だったとしても、楽しさがそれをおぎなってくれる。それに、夫は仕事第一と称するだけあって、家庭内のことはすべて順子にまかせ、そう口出しをしようとしなかった。

順子はその信頼にこたえ、愛する夫のためには家のなかをいかに飾るのが最上かと、才能を傾けて検討した。いいかげんなものを作るわけにはいかない。悔いのない、最高のものを展開しなければならないのだ。

そのためには、まず夫を理解しなければならなかった。装飾は、その基礎の上になされるべきものなのだ。そして、研究の結果、アメリカ風の近代的な感じを基調とするのがいいのではないかとの結論に達した。健康的で、いくらかお人よしで、仕事第一主義のビジネスマン。そんな性格の夫にふさわしいと思えたのだ。

順子は、いよいよそれにとりかかった。愛する夫のために、趣味を生かして作業にはげむ。まことに楽しい気分だった。

まず窓を広げ、外の光を一杯に受け入れるようにした。壁の色は明るい中間色にぬった。照明器具は、単純な美しさをそなえた形のものを取りつけた。モダンデザインの家具のカタログを取り寄せ、熟慮をかさねながら、ひとつひとつ選んでいった。ガラス製の芸術品も運びこまれた。床には模様のないカーペットが広げられ、観葉植物の鉢植えもとどいた。

これらが順子のさしずのもとに配置されると、それぞれがたがいの価値を盛りあげあい、調和のとれた美の世界を作った。ひとつの完成した小宇宙ともいえた。順子自身もまた、それにあわせた服を身につけ、ヘアスタイルも変えた。宇宙の構成因子であるからには、その秩序にとけこまねばならないからだ。

この変化を見て、夫は感心した。美的感覚の点でそれほどでない彼も、日を見はってため息をついた。

「ぼくに的確な批評はできないが、なにかすばらしい住み心地になったことだけは、わかるよ」

「あなたに喜んでいただけて、うれしいわ」

「きみの才能はすごい。友人たちに見せて自慢してやりたいな」

「ええ、そうしましょう。飾りつけが一応すむままでは、いままでは、どなたもお呼びしなかったけど」

　この家を訪れた者は、よほどどうかしている人でない限り、だれもが内部を見まわして感嘆した。家と住人とが、ぴったりととけあっているのだ。

　主人にあわせて家がととのえられ、それにあわせて順子が存在しているのだから、当然のことといえた。だからといって、彼女がいやいやながら自己を殺しているのではない。自分の作りあげた世界に、自己を調和させているのだから、そこに抵抗の感情は生じない。それどころか、趣味に生きているわけであり、最大の喜びだった。

　順子はこの事業をさらに完全なものにするため、努力をつづけた。来客用の部屋のみならず、各部屋のすみずみまで神経をゆきわたらせたのだ。水道の蛇口《じゃぐち》、ドアのとって、スリッパの色や形に至るまで、考え抜いて選定した。

　さらに、これは室内だけにとどまらず、戸外へとひろがっていった。門や庭が異質であってはならないのだ。順子は庭に芝を植えた。もちろん、その品種は家屋との対照を研究した上で決定した。夜になると、水銀灯がほどよい角度と光度とをもって、それをみごとに照らすのだった。

　これらの進展とともに、順子の幸福感はますます高まった。趣味のある人生。世の中の人があこがれをこめて口にする文句を、彼女はそのままに生きているのだから。

夢のような三年がたち、その結婚記念日の夕方。

夫は包みを抱えて帰宅し、順子にさし出しながら言った。

「これが、記念日のおくり物だよ。気に入ってくれればいいが」

「あなたからのプレゼントなら、なんでも気に入るにきまっているわ。でも、なかみはなにかしら」

「絵だよ。ぼくには価値はわからないが、信用のおける美術商から買ったのだから、いいかげんなものでは、ないはずだよ」

芸術を愛好する妻のために、夫が苦心して手に入れてきたというわけだった。その愛情とともに包みを受けとった順子は、なかをあけて、うれしさと驚きの声をあげた。

「あら、ラミンズの作品ね。本物だわ。ほんとにすばらしいわ。きっと高かったんでしょうね」

「きみのためなら、値段など問題ではないよ。しかし、そんなに、いいものなのかい」

「ええ、十九世紀の中ごろのイギリスの画家なの。しっとりと落ち着いた風格が、特徴なのよ」

彼女は油絵の小品を指さした。水車小屋のある風景画で、たしかにいい作品だった。

「きみの気に入ってよかった。じゃあ、そのへんの壁に飾るといいな」

「おっしゃる通りにするわ」

しかし、彼女はすぐに釘《くぎ》を打ちつけ、それにひっかけるようなことはしなかった。まず、その絵に最もふさわしいと思われる額縁につけかえた。夫からの贈り物の絵だ。その価値を、最高に発揮させるようにしなければならない。そして、夫の示した壁にかけた。

だが、どうもしっくりしない。順子はその原因に気づき、絵とぴったりする模様の壁紙を買ってきてはりかえた。しかし、これだけでもおさまらなかった。完全をめざす彼女の、楽しい熱中が開始された。

この絵は、明るい室内に飾るべきものではないのだ。順子は窓を小さく改造した。小さくしたばかりでなく、古い英国風のものに作り変えたのだ。

あっさりしたデザインの照明ははずされ、飾りの多いシャンデリアを天井から下げた。光は複雑な陰影をともなって、室内を照らした。それに調和させるには、カーペットも変えねばならず、家具も彫刻のある木製のものでなければならなかった。そのほか、ベッドのカバーの模様に至るまで変っていった。すべては、重みのあるムードへと移っていった。

さらに、建物の外側はレンガで飾られ、ツタがからみつきはじめた。芝生はつぶされ、大きな木が植えられた。順子の趣味への忠実さは、少しでも完全に接近しなければ気がすまなかったのだ。もちろん、彼女は自分の服装もそれにあわせた。

しかし、最後に問題がひとつだけ残った。そして、それは順子の心を、たえずいらいらさせるのだった。彼女はついに耐えられなくなり、父親に電話をかけ、悩みを打ちあけた。

「いい弁護士さんを紹介してほしいの。じつはね、離婚の手続きをたのみたいのよ。ええ、どうしても、夫をとりかえなければならないの……」

子分たち

警察の取調べ室のなかで、目つきの鋭い刑事が言った。

「いいかげんで、白状する気になったらどうだ」

「いや、おれはなにも言わぬ。絶対に口を割らないぞ」

この問答は、毎日のようにくりかえされていた。調べられている男もまた、同様に目つきが鋭かった。この男は強盗団の首領であり、警察は盗品屋の筋に手配し、その方面からの連絡で彼を逮捕した。

もちろん、それで彼を有罪にすることはできる。だが、それだけでは、問題は解決しないのだ。彼の子分たちが、まだ逮捕されていない。その悪の一味を野放しにしておいては、いつ、なにをしでかすかわからない。

「そう強情をはらずに、子分たちの名を教えたらどうだ。そうすれば、子分たちも罪を重ねなくてすむ。本人たちのためだ」

と刑事はくりかえしたが、返事は変りなかった。

「いや、言わぬ。つかまって、子分の名をぺらぺらしゃべるようでは、ボスとしての資格はない。おれをなぐったらどうだ」

首領はあくまで突っぱねた。なぐってみるわけにもいかず、なぐったところで白状はしないだろう。なかなかの、したたか者だ。この調子だと、おそらく子分たちも、相当な連中がそろっていることだろう。

刑事は内心でため息をついた。こいつの子分たちが何人いて、どんな連中で、どこに住んでいるのか、まるで見当がつかないのだ。

刑事は言った。

「そんなにがんばるのなら、それでもいい。こっちの手で逮捕してみせる。そのかわり、だれの情状もみとめてやらないぞ」

「勝手にしたらいい」

首領は笑って答えた。そんなことはできっこないという、自信ありげなようすだった。

「あとで、くやしがるなよ。子分たちを逮捕する、うまい方法を考えついたのだ」

「どんな方法だ」

「おまえに教えることはない」

刑事は、おどかしで言ったのではなかった。ひとつの作戦を持っていた。それは、取調べをかさねているうちに気がついたことだが、ふたりの年齢やからだつきが似ている点だ。これを利用してやろうと思いついた。

刑事はメーキャップの専門家を呼び、自分の顔を首領そっくりに変えてもらうよう依頼した。それは、なかなかよくできた。鏡をのぞくと、首領とむかいあっているような気分だった。

表情や身ぶり、声や口調は、取調べでつきあっているうちに、なんとか覚えこんだ。逮捕した時の所持品は警察に保管してあり、刑事はそれを身につけ、街なかへと出かけた。

こうして歩きまわっていれば、だれかが声をかけてくるだろう。それは関係者のひとりにちがいない。巧みに応対し、ぼろを出さないようつとめれば、一味の連中に近づけるはずだ。これが彼の作戦だったのだ。

しかし、どこへ行ったものか、とくにあてはない。数日むだに過ぎた。

そして、ある夕方。刑事は、とかくのうわさのある一軒のバーにはいった。なかは薄暗い。物なれた態度をよそおってはいると、女が声をかけてきた。

「あらどうなさったの。このところ、しばらくいらっしゃらなかったわね」

「ああ、ちょっとしたことがあってね」

と、首領になりすました刑事は、当りさわりのない返事をした。

「なにをお飲みになる……」

「いつものやつをくれ」

こうでも答えておく以外にない。やがて、カクテルが運ばれてきた。口をつけてみるとむやみと強い酒だ。しかし、飲まないと怪しまれる。彼は一気に飲みほした。

それから、腕時計をみつめた。首領のつけていた品だ。古風なデザイン。カクテルを、おかわり。グラスを持つ手つきや癖も、観察して覚えておいたとおりにやった。

いまのところ順調に進展しているようだな、と刑事は思った。しかし、これからが難問なのだ。正体を見破られることなく、相手の陣営に接近しなければならない。ひとつまちがうと、とりかえしのつかないことになる。

あたりに気をくばり、あれこれ考えていると、どこからともなくひとりの青年がやってきて、刑事にささやいた。

「ボス……」

犯罪者によくある、おびえたような警戒しているような目つきだった。こいつは一味にちがいない。刑事は薄暗いなかで、なるべく顔をさらさないようにしながら言った。

「なんだ、おまえか。どうした」

「ボスこそ、どうなさってたんですか」

「逮捕されかけたが、まぬけな刑事の目をごまかし、途中で逃げた。しかし、万一のことを考えて、しばらくかくれていたのだ」

「しかし、本当にボスなんでしょうね。どことなく、感じがちがったようですよ」

「なんだと、おれを忘れたというのか」

刑事は首領の声色を使い、腕時計をのぞき、車のキーをいじった。みなれた物品ばかりで、青年は安心したらしい。

「すみません。ちょっと気になっただけです。じつは、ボスを待って、みんなが集っています。おいでください」

「そうか。それはちょうどいい」

これは本心でもあった。刑事はゆっくりと立ちあがり、ポケットにある拳銃《けんじゅう》をたしかめながら、青年のあとにつづいた。

しかし、足もとはいささか怪しかった。強い酒のため、酔いがまわりはじめたのだ。

青年に案内され、近くのビルの地下室にたどりつく。こんなところが本拠だったのか。いよいよ、敵の一味と対決できるのだ。胸がおどる思いだった。

ドアをはいると、ありがたいことに、ここもなかは薄暗かった。数人の男がそこにいたが、見破られないですむだろう。

しかし、その時、思いがけぬことが起った。その連中が、いっせいに飛びかかってきたのだ。身がまえるひまもなかった。うしろからは、ここへ案内してきた青年が組み付いた。

酔いのため、力も出ない。たちまちしばられ、口にさるぐつわをはめられ、床にころがされた。どこで刑事とばれたのだろう。変装も万全なはずだし、手落ちらしい点は思い当らなかった。そのうち、連中のひとりが言った。

「ところで、ボス……」

やれやれ、刑事とばれたのではなかったようだ。しかし、こんな目にあわされるのは、なぜだろう。さるぐつわのため、質問しようがない。相手の言葉を待つ以外になかった。

「おれたちは、ボスがかくれているあいだに相談した。そして、意見が一致した。まったく、あなたはひどい人だった。おれたちに危険な仕事をやらせ、利益はひとりじめにした。文句を言うとなぐられ、抜けようとすると、殺すとおどかされた。もう、がまんができない。あなたを警察に突き出し、それをみやげに自首し、足を洗うことにした……」

そうだったのか。あの首領の部下にしては、みな情けないほどだわいない。だがそんな気になってくれたとは、いいことだ。満足感にひたりながら、刑事は説明のつづきを聞いた。

「しかし、警察に突き出す前に、まず、いままでの仕返しをする……」

刑事は足でけとばされた。棒きれでひっぱたく者もあった。つばを吐きかけられたり、ふみつけられたりもした。誤解だと主張したいが、声が出せない。さんざんな目にあわされ、気が遠くなりかける耳に、連中の話し声がはいってきた。

「これくらいでいいかな」

「もっと痛めつけてやろう。ボスに対しどんなに不満を持っていたかが、やっつけた程度で証明されるのだ。うんとやっつけたほうがいい。警察もそれだけおれたちの改心したことをみとめ、情状を考慮してくれるだろうからな……」

秘法の産物

中年をすぎた男があった。エヌ氏と呼んでおく。かなりの財産を持っていた。彼は若いころから、人間の価値はその財産の額によってきまるという奇妙な思想、あるいは正常な思想と称すべきなのかもしれないが、要するにそれにとりつかれていた。すべてこの原則にもとづいて行動し、ひたすら金をためることと、金をふやすことに専念した。その必然的な結果として、財産家になれたのだ。

しかし、一生をひとつの思想でつらぬくのは、至難なのが通例。エヌ氏の心境に、変化が起った。なにか、むなしいような気分を抱きはじめた。すなわち、孤独感というやつだ。

彼は、人生の道づれを求めた。それは、美人でなければならない。若い絶世の美女でなければならないと考えた。なまじ財産があると、構想が雄大になる。その心情は純真でもあった。普通なら女性というものに絶望しかける年代だが、中年で心機一転した場合はまたべつだ。

エヌ氏は自分でも街を歩き、また他人にも依頼し、美女さがしに熱中した。しかし、夢のなかにあらわれるような完全無欠の美女というのには、なかなかお目にかかれない。その努力をつづけたあげく、どうやら尋常な手段では無理らしいとの結論に達した。

といって、あきらめたわけではない。超自然的な方法を試みることにしたのだ。彼は魔法の本や神秘的な書を買い集めた。惜しげもなく金を投じたため、相当の量が入手できた。もちろん、いいかげんなのが大部分だったが、本物らしきものも、いくつかまざっていた。

エヌ氏はそれを整理し検討し、魔神を呼出す術を知った。

知ったからには、実行に移さねば意味がない。そのための資材を集めにかかった。特殊な薬草や、高価な鉱石の粉末。いまや絶滅しかかっているある種の鳥の翼も必要で、取寄せるのは大変だったが、世の中、金さえ出せばなんとでもなる。

また、実行の日時をきめるには星座を調べねばならず、自宅に天体望遠鏡をそなえつけた。さらに、星の運行の算出にコンピューターを借りてきた。こうなると、もはや執念。財産は大はばにへったものの、準備はととのった。

エヌ氏は部屋の床に星型を記し、その儀式にとりかかった。怪しげな煙とにおいと呪文《じゅもん》の交錯のなかから、やがてひとりの異国風な人物が出現した。エヌ氏はべつに驚かない。確信があったからこそ、ここまでことを運んだのだ。相手に話しかけてみる。

「ご出現いただき、ありがとうございます。念のためお聞きしますが、魔神なのでしょうね」

「魔神とか魔王とか鬼神とか、いろいろな名で呼ばれる。しかし、レッテルがなんであろうと、おれはおれだ。超自然的な能力の主だ」

「ごもっともです。お礼を申します」

「いや、おれのほうもうれしい。よく呼出してくれた。このところ合理主義とやらが流行しているらしく、おかげで、おれはひまだった。休養もいいが、あまりつづくと退屈だ。その感謝のしるしとして、五つの願いをかなえてやろう。いつもは、そんなに気前よくやらないがね……」

「ありがとうございます」

エヌ氏が頭をさげると、魔神は言った。

「では、まず、世界の平和とゆくか」

「冗談じゃありませんよ。そんなことのために、だれがこれだけの努力をしますか」

「だろうな。これまで数えきれぬほど人間に呼出されて仕事をしたが、それを依頼した者はひとりもなかった。とすると、第一の望みは美女だろう。これならなれている。まかせなさい」

エヌ氏がうなずくと、それは出現した。まさに、文句のつけようがない美女だった。うすものをまとっているが、からだの線はよくわかった。ミロのビーナスのモデルともいうべきすばらしさ。

「さあ、引渡すぞ」

と魔神が言った。エヌ氏は長いあいだの夢が実現し、ただ呆然とするばかり。それを女のかん高い叫びが破った。

「あたしを、こんなかっこうでおいとくの」

うすものひとつの姿をいやがる。逃げ出しかねないようす。しかし、エヌ氏は、服の用意まではしておかなかった。うろたえていると、魔神が助言した。

「まだ願いが四つ残っているよ」

「あとは、この女の願いをかなえてやってもらえないかな」

魔神は承知した。女は服を注文し、一瞬のうちに一そろいの一級品を身につけることができた。女はいちおう満足したあと、思いついたように言った。

「ねえ、首にかざる宝石も欲しいわ」

その願いもかなえられた。女は飛びはねながら、喜びの声をあげた。

「まあ、なんてすてきなんでしょう。ほんとにありがとう」

エヌ氏はそれを自分への感謝と受取り、いい気分になった。そして、いささかだらしない表情と声で言った。

「あと二つ願いが残っている。なんでも好きなものをたのむといい」

女は遠慮もためらいもなく、その望みのものを述べた。それはすぐにかなえられ、ひとりの青年が出現した。顔は美男子のくせに、たくましいからだつきだった。簡単な下着だけのため、それがよくわかった。エヌ氏はわれにかえり、あわてた。

「こんなものはいかん。だめだ」

「あら、なにをたのんでもいいと言ったじゃないの」

「しかし、これはべつだ。あと願いの権利が、ひとつ残っている。それを行使し、こいつを引きとってもらいなさい」

「でも……」

女はだだをこねた。エヌ氏は後悔した。最初に魔神にたのむ時、従順な性格の女性をと、付帯条件をつけておけばよかったのだ。しかし、もはやまにあわぬ。その議論に、横から青年がわりこんできた。

「そんな男に、意見を押しつけられることはないよ。どうです、彼女の自由な選択にまかせようじゃありませんか。それこそ公平であり、民主的な尊重すべき結論でしょう。腕に自信はあるが、それはつつしんであげます」

エヌ氏は腹を立てた。若いやつというものは、礼儀をわきまえず、自分がここに存在するに至った恩恵を理解しようともしない。そのくせ、もっともらしく勝手な理屈をこねやがる。怒ったため、表情がみにくくなった。

女は、決断の言葉を口にした。たちまちのうちにエヌ氏が消えた。また、仕事をなしおえた魔神も消えうせた。かくして、おたがいに手を取りあう若い男女の、ほほえましい愛の光景だけが残った。

商品

ケイ氏はセールスマン。小型の宇宙船にいろいろな商品見本をつみこみ、星から星へとまわって注文をとるのが仕事だった。

のんきな仕事とはいえない。星の住民を相手に、品物についてあれこれ説明するのも大変だ。商談がまとまり地球へ通信で報告する時は、ささやかな喜びを味わいはする。しかし、すぐべつな星をめざして、ひとりふたたび、長く単調な宇宙の旅をしなければならないのだ。

前方に、ひとつの星が見えてきた。

「こんどはどうだろう。友好的で、景気がよくて、浪費的な住民ばかりの星だとありがたいが……」

ケイ氏はつぶやきながら、望遠鏡をそれにむける。近づくにつれ、光景ははっきりとしてきた。都市が見える。優美な曲線で構成された都市で、上品な文明を持つ住民のいる星のように思われた。

ケイ氏はうれしげに着陸に移った。もちろん、警戒はしていた。宇宙船にむけてなんらかの攻撃がなされた場合、ただちに上昇して逃げる装置もそなえてあるのだ。だが、それを使うこともなく、街はずれにぶじ着陸を終えた。

むこうから、何人かの住民がやってきて、声をかけた。ケイ氏は小型翻訳機を調整していたが、やがてダイヤルが合った。彼はあいさつをした。

「はじめて、お目にかかります。わたくしは、地球という星からまいりました。地球ではいろいろな品物を作っております。こちらさまで、なにかお買いいただけるとありがたいのですが……」

住民は答えた。

「なるほど。商売にいらっしゃったというわけですな。さあ、どうぞこちらへ。お疲れでしょう。まず、おもてなしを、いたしましょう。商談はそれからということにして……」

親切な態度だった。なにかたくらみを秘めてのものではなく、心かららしい。ケイ氏はさまざまな星をめぐっており、その見わけぐらいはつく。いい星に来たものだ。きっと大きな取引きができるにちがいない。

彼は案内されて、ホテルらしき建物に入った。なかなか立派な建物だった。

いい味の食べ物や飲み物が出された。ひと休みし終ったころ、住民のひとりがやってきた。

「わたしが商業の役所の長官です。こんな星にまで、わざわざおいでいただき、ありがとうございます」

ていねいな口調だった。

「いいえいいえ、こちらも商売ですから。さっそくですが、用件のほうに移りましょう。ええと……」

さて、なにを売りこんだものかとあたりを見まわし、ケイ氏は口をつぐんだ。適当な商品が頭に浮ばないのだ。着陸してから今まで、周囲を注意ぶかく観察してきたのだが、あらゆる面で、文明の水準が地球より少しだけ高い。ということは、製品はなんでも存在し、いずれも地球より少し進んでいて、少し高級な状態なのだ。

売りつけるものは、なにもない。文明の低い星へ行って、ばかばかしいほど初歩的なことから説明する場合もやっかいだ。それでも、説明し終ると商談はまとまる。しかし、このように相手が少し高級となると、どうしようもないのだ。

ケイ氏は劣等感にとらわれ、恥ずかしくなってきた。だが、自分の仕事を忘れたり、あきらめたりしたわけではない。元気を出すのだ。地球で作られていて、この星に欠けている製品も、なにかきっとあるはずだ。それを見いだして売り込まねばならぬ。

なかなか思いつかず、いらいらしはじめた時、建物のそとで激しいサイレンの音がした。ケイ氏は長官に聞いた。

「なんですか、あの音は……」

「事件です。じつは大変なものが、こっちへ来つつあるとのしらせです。しばらく、じっとしていて下さい」

ケイ氏が窓からのぞくと、そとの道路では大さわぎだった。住民たちは急いで家にとじこもりはじめた。それにかわって、複雑な装置をつけた車が、何台も動きまわっている。空でもヘリコプターのようなものが飛びかっている。

なにかわからないが、よほどのものがやってくるらしい。ケイ氏が緊張して眺めつづけていると、車からなにかが発射された。それはこまかい網で、空中で大きな花のようにひろがり、下へと落ちた。

長官は、ほっとしたような表情で言った。

「なんとか、つかまえたようです。ご安心下さい。もう大丈夫です」

「いったい、なにが出現したのですか」

「ごらんにいれましょう……」

長官に案内され、ケイ氏は近より、網でとらえられたものを見た。なにもいないようだったが、注意されて目をこらすと、たしかに生物が存在していた。それは一匹の、小さなハエだった。

長官は、とくいげに説明した。

「車につんである精巧な装置のおかげです。まず、高度なレーダーで目標物を追いこみます。一方、風むきや気圧を測定し、コンピューターで方向を定め、網を発射するのです。すなわち一発必中、かくのごとしです」

たかがハエのために、こんな大さわぎをするとは。ケイ氏は笑いたくなるのを押え、大声で早口にしゃべりはじめた。

「これが問題の生物なのですか。それでしたら、こんなに苦心することはございません。地球には、じつに便利なものがございます。これです。よくごらん下さい……」

彼は万年筆型の噴霧器を取り出し、網のなかのハエに、強力な殺虫剤を吹きつけた。

「……いかがです。この通りです」

住民たちはハエを見た。そして、驚きで目を丸くしながら顔をみつめあい、ため息とともに言った。

「死んだ……」

「そうです。ごらんの通り、すばらしい威力でございましょう。この薬品は強力で、三十メートル四方にひろがり……」

ケイ氏はとくいげに、その効能を説明しはじめた。しかし、そばにいた長官は言った。

「あなたは、なんということをしてくれたのです。いまや絶滅寸前にある、この貴重な昆虫を殺してしまうとは。現在この星には、卵、幼虫を含めて、九つしか存在していない。その一匹が逃げ出したから、これだけのさわぎをしたのです。だが、あなたに殺され、残りは八つになってしまった。われわれのかけがえのない宝です。ただではすみませんぞ……」

ケイ氏はそれを聞き、青くなった。誤解だったの、悪意でやったのでないと言っても、許してもらえそうにない。このままだと極刑に処せられる。あらゆる弁解をしつくし、せっぱつまった彼は言った。

「なんとかお助け下さい。なんでしたら、地球から取り寄せておかえしします」

「なんだと。それは本当か……」

「地球でも、そとには絶対に出さないことになっているのですが……」

長官の喜んだ表情から、ケイ氏は商売を思い出し、もったいをつけた。

彼はしばらく人質となって、その星で暮した。やがて彼の連絡により、地球から無人貨物船がとどき、そのなかにはハエの卵が七つ入っていた。これを発送した係は、さぞふしぎがったことだろう。しかし、よく発送してくれた。ふざけるなと怒り、発送しなかったら、ケイ氏の運命は、この星でつきてしまうところだった。

ケイ氏は死なずにすんだばかりか、この星での人気はいっぺんに高まり、待遇もよくなり、多額の代金さえもらうことができた。

こんな妙味とスリルがあるからこそ、彼はなかなかべつな仕事に移る気になれないのだ。

女と金と美

「ぼくは、あなたが好きなんです」

と青年がささやいた。だが、女ははぐらかすように答えた。

「いやよ、そんな冗談は」

「冗談なんかじゃない。本当に好きなんだ。心から愛しているんです」

「でも、まだ五回しか、お会いしてないじゃないの」

「愛を告白するのには、何回以上会ってからでなければならない、という規則はないはずです。最初にお目にかかった時から、夢中になってしまった。五回目のきょうまで待つのさえ、たまらなく苦しかった」

「あたし、とても信じられないわ」

「ああ、どうしたら、信じていただけるのです……」

青年の口調は熱っぽかった。ありふれた、たわいない会話が進行していた。青年は二十八歳ぐらい。男性的な点とスマートさがほどよく混合した容姿で、美男子といえた。また、身だしなみのいい服装だった。女のほうは二十五歳ぐらい。そして……。

　そして美人であれば、テレビドラマなどでよくお目にかかるシーンとなる。しかし、そうではなかった。どう定義を拡大し、善意に解釈しても、美人とは称しようがない。

　女はふとっていた。胸から腰まで、ほぼ同じぐらいのふとさだった。そればかりか、足もふとかった。顔にはしみが多く、はればったい目で、鼻は低かった。くちびるは厚く、そのあいだから並びの悪い虫歯の列が見えた。服装も、ぱっとしない。どんなデザインの服をまとっても、どうしようもないだろう。

　彼女は自分でも、それを意識していた。だから、青年の甘い言葉を、すなおに受けつけないのも無理はない。

「いいかげんになさってよ。そんな文句は、ほかの女の人におっしゃればいいわ」

「ぼくの好きなのは、あなただけだ。ほかの女性など、いまのぼくには考えられない」

「ねえ、おからかいになるのは、いいかげんになさってよ。あたし、怒るわよ」

　女は本当に、そうしかねない勢いだった。ただでさえ醜い目つきなのに、にらまれると、その度をます。青年は、その視線をはねのけて言いつづけた。

「どうぞ、お気のすむように怒って下さい。そうすれば、ぼくの誠意も、わかってもらえるでしょう。あなたを心から好きなんです」

「いやよ。もうおやめになって。そんなにおっしゃられると、なんだか悲しくなってくるわ」

女の声は急にうるみ、目を伏せた。青年はそれに勢いを得て、さらに身を乗り出した。

「悲しむのだけは、やめて下さい。涙を流されては、ぼく、結婚を申し込みにくくなってしまいます」

「なんですって……」

結婚という言葉で、女は激しく身ぶるいした。しばらくは呆然とし、いまの言葉を受けとめかね、頭のなかで持てあましている表情だった。青年はまた言った。

「ぜひ、ぼくと結婚して下さい」

「だけど、ほかにも、きれいな女のかたがいるでしょうに。あたしみたいな女と……」

「あなたは遠慮ぶかく、内気で、女らしい。その性格にひかれたのです。ほかの女はみな、うぬぼれが強く図々しくて……」

また、延々と会話がくりかえされた。そのたびごとに、女の警戒のヨロイは一枚ずつはがされていった。女はやっと少し信じかけた。

「夢のような気持ちだわ。あなたのようなかたから、結婚を申し込まれるなんて」

「夢かもしれないと心配なのでしたら、つねってあげましょうか」

青年はなれなれしくなり、女は笑った。

「あら、いやよ。痛いわ」

「承知していただけるんですね」

女は承諾し、話題はさらに発展した。

「できたら、小さくてもいいから、ぼくたちの家を持ちたいと思うんです。ぼくはむだづかいをせず、ずっとお金をためてきた。かなりの額になっている。それで買えるかな」

「あたしにも貯金があるわ。もし足りなければ、あたしのを使ってちょうだい。水くさいことなしにね」

「そうすれば、もっといい家が買えることになるな。買ったら、あなたの名義にしよう」

「お好きなようにしてちょうだい」

「じゃあ、ぼくは貯金をおろして計算してみるよ。そして、見せてあげよう。うそじゃない証拠に」

話は一段と進み、具体的な形となっていった。二人は次に会う日を約束して別れた。この青年は物好きなのでも、性格異常なのでもなかった。本気だった。これが彼の仕事であり、仕事は本気でやらなければ成功しない。早くいえば、結婚詐欺を常習としていたのだ。

これをやる者は、世の中に少なくない。だが、たいていの人は結婚をちらつかせてしぼりとった金を、安易に無計画に費消してしまうのがおちだ。この青年の場合は、蓄財のための手段と割り切った行為だった。巻き上げた金は、すべて銀行に預金しておく。

いうまでもないことだが、資金を用意してかかれば、それだけ成功率が高くなる。現金を目の前につみあげて、女にさわらせることができるのだ。

その上で「もう少し足せば」と持ちかければ、女の疑念は消えて、あり金を信用してさし出す。したがって、営業成績はじつによかった。その金を受け取り、姿を消し、また銀行にあずけるのだ。金額はふえる一方であり、それが彼の生きがいだった。

といって、青年は守銭奴《しゅせんど》でもなかった。たまった金を使う日をあこがれ、夢見ているからこそ、この仕事に熱が入る。その使途とは、美しい女性と結婚することだった。

美しい女は、金のない男とあまり結婚したがらない。青年は数回の失恋で、痛切にそれを思い知らされた。ある点までは順調なのだが、彼が金のないことを告白すると、相手は離れていってしまう。この冷酷な現実に接して、彼が心機一転、金をためることに熱中しはじめたとしても批難はできない。

しかし、特に才能があるわけでもなく、利用できるものといえば、目鼻立ちのととのった顔だけだった。彼はそれを最大限に活用したのだ。

金のありそうな妙な顔の女に愛をささやきつづけるのも、将来にこの目標があればこそだ。仕事に熱がこもってくると、相手の顔の上に幻の美女の顔がかさなり、それにむかって話しかけている気分になる。だからこそ、真に迫った演技にもなるのだ。

三日後、約束どおり、青年は女のマンションを訪れた。飾りけのない、質素で小さな部屋だった。若い女性の部屋に特有な華やかさもない。結婚をあきらめ、金をためつづけてきたのだろうな、と青年は思った。だが、同情は無用。彼は仕事にとりかかった。鞄《かばん》をあけ、なかの札束を机の上につみ重ねた。

「ほら、ぼくが苦心してためたお金だ」

女もまた、札束を用意していた。青年のにくらべれば少ないが、予想していたよりは多かった。彼女はちょっと恥ずかしそうに、札束の上に札束を重ねた。

「あたしも、お金をおろしてきたわ。あら、こんなふうにいっしょにしちゃうと、わからなくなってしまうわね」

「いいじゃないか。どうせ、ぼくたちのお金なんだから」

青年は今までと同じく、事態がスムースに進んでいるので満足だった。相手はうれしそうに信頼している。あわてることなく、金をひとまとめにして引きあげればいいのだ。気の毒といえないこともないが、金がないために美人と結婚できないでいる自分だって気の毒だ。

そのうち、女は思いついたように無邪気な声をあげた。

「高さがどれくらいあるか、測ってみましょうよ」

「ああ、そうしてみようか」

「物さしはどこだったかしら。あなたのうしろのほうにあったはずだけど。雑誌の下になっちゃったのかしら」

「どれどれ……」

青年は悠然《ゆうぜん》とさがしにかかった。成功を目前にした今は、とくに落ち着かなければいけないのだ。興奮でそわそわするのは、失敗のもとだ。やっと見つけて顔をあげると、思わぬ異変が起っていた。

机の上の札束がない。女もいない。彼は声をかけてみた。

「どこにかくれているんだい。ふざけていないで、出ておいで。物さしはあったよ」

しかし、返事はない。くりかえして呼んだが、同じことだった。高まる胸さわぎを押えながら、青年は押入れをあけてのぞいてみた。だが、女どころか、なにひとつない。部屋のすみにある安物のタンスを調べてみた。しかし、すべてなかはからっぽ。

そんなことで手間どってしまい、あわてて外へ飛び出したが、もはや女の姿はどこにもなかった。

マンションの管理人に聞くと、引っ越しの手続きがすんだあとだと教えられた。移転先は書いてあったが、でたらめにきまっている。事実、青年はわらをもつかむ気持ちで地図を見たが、そんな町名はなかった。

「ひどい、ひどい。あんまりだ」

青年がなげいたことは、いうまでもない。将来を楽しみに、いやなことをがまんし、ためつづけた金だ。それを、すっかり持ち去られたのだから。

それからの彼は、気の抜けたような日々だった。事業を再開する元気もない。することといえば、酒にひたるだけだった。

しかし、この状態が永久につづいたわけではない。三カ月ほどして、美しい女性と知りあうことができた。すらりとし、目もとが涼しく、形のいいくちびるのあいだの白く輝く歯。理想的な、彼の幻のような女性だった。しかも彼女は、進んで青年にやさしく話しかけてきた。彼のほうは、吐き捨てるように答えた。

「ぼくは、あなたのようなかたとは、つきあえない人間です。まるで、お金がないんですから」

「あら、男のかたが、そんなことをおっしゃっては、おかしいわ。大切なのは、お金じゃなくて愛情よ」

こうやさしくされて、青年のそれまでの人生観は、少し変りかけてきた。美人のなかにも、心のやさしい人がいるようだ。だが、彼はまだかたくなだった。

「しかし、お金がなければ、あなたを幸福にすることはできません」

「そんなこと、気になさらないでよ……」

いくらかの時間はかかったが、二人は結ばれ、豪華とは呼べないが幸福な人生がスタートした。青年は、まともな平凡な職についた。夢が実現した今となっては、無理な仕事にはげむ必要もない。

しかし、こんなふうに現実化するとは、想像もしなかったことだ。彼は時たま、なんということもなく口にする。

「どうして、ぼくと結婚する気になったのだい」

「あなたが好きだからよ。とても、いい人だからよ」

妻は、これだけしか答えない。また、これ以上は答えられないのだ。机の上の札束をつかんですばやく身をかくし、金に糸目をつけず、最高級の整形美容をしてもらったのだとは……。

国家機密

グラニア国は小さな国だった。スポーツカーを走らせれば、そう時間をついやすことなく通り抜けてしまうことができる。

国のほぼまんなかに小高い丘があり、古いつくりの城がそびえている。城壁や塔には、なかなか風格があった。しかし、この城は単なる名所旧跡ではなく、なかには昔からの家系の王が住んでいて、この国を統治していた。

権力を振りまわして威張る、といった王ではなかった。そんな王だったら、現代では、たちまち革命によって追放されてしまう。民主的なムードをそなえ、国民のあいだにけっこう人気があった。人気というより、敬愛されていたと言うほうがいい。

その城のまわりに、街がひらけていた。広い道路の両側には、樹齢の古い並木がつづいている。木は春になると白い花をつけ、夏には濃いかげで歩道をおおう。道路にそって清潔な家々が並んでいた。

もちろん、そう大きな街ではない。街のそとは畑や果樹園だったが、これまた、そう広大なものではなかった。すぐ隣国との国境になってしまう。

グラニア国には海に面した部分もあり、港があった。しかし、これも小さなもので、漁港と呼ぶべき規模だった。

これがすべて。人口も少なく、これといった産業もない。しかし、外国からの来訪者がかなり多く、それで国の経済が成り立っている。といって、この国の風光がとくにすばらしいというのでもない。もちろん、城も街も感じのいい眺めではあるが、ここ以上の風景を持つ国なら、ほかにもある。

外国からの客を引きつけるのは、この国の料理だった。それが、とびぬけていい味なのだ。はるばる訪れてくるだけの価値は、充分にあった。

国際的にみればとるにたらない小国なのだが、各国の外交官たちはわざわざ用事を作ったり、隣の国に来たついでに足をのばしたりして立ち寄る。貿易商はべつに取引きする品もないのだが、出張コースにこの国を加えたがる。食通の観光客となると、いうまでもない。

そして、だれもが帰国してから、その感激をひとに語る。そのため、この国を訪れる人は相当な数にのぼるのだった。

観光立国という言葉があるが、グラニア国の場合には料理立国といえた。王の計画と指導とでこうなったのであり、だからこそ国民の支持と感謝があるのだった。城に招待された時の料理が最高なのは、当然。しかし、街で食べる味も、それとほとんどちがわない。

街には上品なホテルやレストランがいくつもあり、どこでも食事がとれる。よほどの変人を除いて、あらゆる食道楽の舌を感心させた。微妙なバランスのとれた気品のある味で、バラエティにとんでいる。お客は時どき、聞かずにはいられなくなる。

「世界で一流と称すべき料理です。どのような人が、どうやって作っているのです

か」

しかし、この質問はどの店でも巧妙にぼかされ、要領をえない答えとなる。

「おほめいただいて、ありがとうございます。しかし、わたくしどもとしましては、まだ誇るべきものとは思っておりません。お教えするほどのものでは……」

こんな調子で、丁重にかわされてしまうのだ。外来者は味の感激をみやげ話にはできても、その秘法についてはなにも知りえない。こうなると、ますます神秘的なムードが高まってくる。

そのなぞを知りたがる人のふえるのも、無理はない。ある気象学者は、こう考えた。グラニア国の料理の味がいいのは、特殊な気象条件によるのかもしれない。その条件がわかれば、偉大な発見になるにちがいない。だが、長い滞在のあげくにわかったことは、気象とは関係がないとの結論だった。

また、ある農学研究者は、もしかしたら、特産の材料にその原因があるのではないかと考えた。そして、グラニア国の田園地方を歩きまわり、くまなく植物を調べてみた。だが、作物の品種はとくにどうということもなかったし、独特の香辛料の木も発見できなかった。

ある商人は、この国に運ばれる食品材料をたんねんに調査した。もちろん高級なものを輸入はしていたが、それは他の国でも買おうと思えば買える品だった。

こうなると、料理法の問題ということになってしまう。どんな料理法なのだろう。それを知りたがる人が多かった。それがわかりさえすれば、自分の国でレストランを開き、大繁盛させることができるのだ。

しかし、秘法は容易に知りえなかった。どのホテルやレストランで聞いても、みな口がかたいのだ。それを教えたら、自分たちの国が成り立たなくなってしまうというのだろう。どんなにチップをはずんでも、なにひとつ聞き出せなかった。


ある大国の秘密情報部で、重要会議が開かれていた。長官が立って重々しく言った。

「わが国の情報網は世界にくまなく張りめぐらされていて、他国の秘密のほとんどを知っている。どこの国の大統領はどんなハミガキを使っているかも、ある大国の最高司令官の血圧の変化も知っている。しかし、わからぬことが、ひとつだけある。あのグラニア国の料理の秘密だ」

「その件は、以前からの難問です」

と部下たちが答えた。

「そうなのだ。いままでに何人もスパイを送りこんだが、なんの手がかりもなくむなしく帰ってくるか、消息不明になってしまうかだ。いまだに、その秘密はつかめていない」

「まことに、くやしいことです」

「もっとも、これは恥ではない。どの国もスパイを送りこんで躍起となっているが、成功していないのだ。しかし、わが組織としては、最初に知りたいのだ。政府高官から一般大衆までの希望でもある。わたしだって、あの料理をここで安く食べたい」

「ごもっともです。で、送り込むべきスパイとして、最良の人物を選び出しました。わが国で一流の料理人です。もっとも、この仕事は素人《しろうと》にはつとまりません。彼にスパイとしての猛訓練をほどこして、潜入させるべきでしょう」

「うむ。名案かもしれぬ」

かくして、特別任務をおびたスパイ、R8号が誕生した。彼は料理の腕に加え、語学から運動神経まで高度の能力を身につけたのだ。

R8号は旅行者をよそおい、グラニア国へと乗り込んだ。料理立国を方針としているだけあって、入国はいたって簡単だった。しかし、正面から質問してもだめなことは、わかりきっている。彼は作戦をねり、その実行にとりかかった。

まず、一軒のレストランに入って食事をとった。自分も料理人であるだけに、その味のすばらしさに感心した。ぜがひでもその秘密に接近し、手に入れ、使命を果さなければならないのだ。

彼は食べ終ったあと、じつは金を持っていないのだと告白した。店の主人はいやな顔をしたが、金がなければ取りようがないと、寛大なことを言った。

R8号としては、それでは困る。自分の良心が許さないから、代償としてこの店で働かせてくれと申し出た。やりとりを重ねたあげく、やっと住込みで働くことに成功した。こんなことで秘密が入手できるはずはないと予想していたが、はたしてその通りだった。料理の大部分は、店で作られていないのだ。かんじんなところまでは他の場所で作られ、ここへ運ばれてくる。レストランには、求める秘密は存在していないのだった。

R8号はがっかりしたが、ここであきらめてはいけない。どこで作られているのかを、調べなくてはならない。それには、店での信用を得ることだ。彼は忠実に熱心に働いた。

日がたつにつれ、料理の作られている場所が判明した。なんと、城の内部だ。つぎの段階は、いかにして城内へ侵入するかだ。だが、それとなく調べてみると、警戒は厳重をきわめ、簡単にはできそうにない。消息不明になったスパイたちは、それに失敗して生命を落したのだろう。

どうしたものかと思案しているうちに、予想もしなかった話がもたらされた。R8号の働いているレストランの主人が、彼にこう言ったのだ。

「おまえの働きぶりには感心した。また、料理の腕前も相当なもののようだ。信用できる人物とみとめる。どうだ、ひとつ城内で働いてみる気はないか」

またとないチャンスだ。これで秘密をつかめるのだ。R8号は内心をさとられぬよう、神妙に承知した。

彼は城へとむかった。城には衛兵たちが大ぜいいたが、主人からの話が通じているらしく、紹介状を見せると内部に入れてくれた。いよいよ、城内に入れたのだ。

そして、台所へ案内された。地下室に作られた、けっこう大きなものだった。やはり周囲は厳重に警戒されていて、多くの料理人が働いている。R8号は、なんとなく心配になってきた。彼らのひとりが、R8号に話しかけてきた。

「新入りがきたな。きみは、どこの国のスパイなんだね」

「とんでもない、わたしはただ……」

とR8号は打消したが、他の者は万事をのみこんでいるという表情で言った。

「かくしても、だめだよ。もう帰ることはできない。永久に、ここで働かせられるのだ。われわれ、みなそうなのだ。それぞれの国で料理の腕前をみこまれ、スパイとしてここへ送りこまれてきた。そして、苦心して城内に入りこんだとたんにつかまり、働かされはじめるのだ」

「そうだったのか。各国の一流の料理人が集められているのなら、味がいいはずだ」

「まったく、ここの王さまは頭のいい知恵者だ。手をこまねいていて世界中からスパイを呼び寄せ、そのなかから優秀なのを選んで、ただでこき使うのだからな。これがグラニア国の最高機密だったのだよ」

友情の杯

　ある病院の一室。ひとりの老人が、ベッドに横たわっていた。立派な個室であり、看護婦はずっとつきっきりだった。

　これでわかるように、老人はかなりの財産家だった。もっとくわしくいえば、彼は大きな薬品会社の会長。これまで順調で満足すべき人生を送ってきており、功成り名とげた状態といっていい。そのためか、彼は死期の近いことを自分でも知ってはいたが、べつに未練がましいことも口にせず、落ち着いていた。

　老人は横になったまま声を出した。

「なあ……」

「はい。なんでしょうか」

　そばの椅子《いす》にかけていた若い看護婦は、すぐに答えて立ちあがった。老人は低い声でいった。

「ひとつ、わたしの最後のたのみを聞いてはくれまいか」

「もちろん、なんでもいたしますわ。だけど、最後だなんておっしゃっては、いけませんわ」

「元気づけてくれる気持ちはありがたいが、もうそう長くないことは、わたしもよく知っているよ」

「でも……」

といいかけたが、看護婦はあとどう答えていいかわからず、言葉をにごした。

「困らせてしまったようだな。そんなつもりではなかったのだが。しかし、正直なところ、わたしは充分に人生を楽しみ、けっこう長生きをした。もはや、思い残すこともないのだよ。ただひとつのことを除いて……」

「なんなのでしょうか」

彼女は、好奇心もあって聞いた。

「べつに、むずかしいことはない。それを手伝ってもらいたいのだ」

「あたしにできることでしたら」

「入院する時に持ってきた品のなかに、洋酒の古いびんがあったはずだ。さがしてもらいたい」

看護婦は部屋のすみのほうへ行き、手に持って戻ってきた。

「これでございますか。ずいぶん古く、ラベルもすっかり変色してしまって……」

「そう、それだ。ひとくちでいいから、それを飲ませてもらいたいのだ」

老人は目を細め、高価な秘宝に接するような表情で、びんを見つめた。しかし、看護婦は少し当惑した。

「だけど、お酒はおからだに、よくありませんわ」

「飲まなかったからといって、ずっと生きられるというわけでもあるまい。生きているうちに、それを飲みたいのだ。いや、飲まねばならぬのだ。それが最後の望みだ……」

押し問答が重ねられた。老人のあまりの熱心さに彼女は応答に困り、部屋を出ていった。担当医に相談に行ったのだろう。やがて、戻ってきていった。

「一杯ぐらいでしたら……」

一杯ぐらいなら、病状も悪化しないというのか。こうなったら、好きなようにさせたらいいというのか。いずれの理由からかは、わからなかった。

「ああ、それでいい。ありがとう」

老人は、うれしそうだった。洋酒の栓《せん》があけられ、小さなグラスにつがれた。それをさし出しながら、彼女はいった。

「なにか、いわれがありそうですのね」

「その話は、飲みながらしよう。しかし、その前に残りの酒を捨て、びんのなかを洗ってくれ」

看護婦はふしぎがりながらも、それに従った。彼女は、きれいになったびんを示しながら聞いた。

「なんだか、ほかの人には一滴も飲まれたくない、といった感じですね」

「そうなのだ。これは、わたしの結婚を祝って、友人からおくられた酒なのだ」

「ロマンチックなお話なのでしょうか」

「そういえるかどうか……」

老人は回想するような表情になった。

「……ずっと昔のことなのだが、入社して以来、わたしには一人のライバルがあった。才能の点でも、わたしと優劣がつけがたい男だった。あるいは、むこうがすぐれていたかもしれない。若さのためもあり、おたがいに意識し、ことごとに競いあったものだ。仕事に関してだけでなく、会社の創立者の娘との交際も、火花を散らさんばかりに争ったものだ……」

老人は酒を半分ほど飲み、また話した。

「……創立者は彼のほうを買っていたようだが、娘はわたしのほうに好意を寄せてくれた。それがきめてになったのだろう、勝利者となれた」

「忘れられない思い出でしょうね。でも、そのお友だちのかたは、さぞがっかりなさったことでしょう」

「もちろん、そうだ。彼は気が抜けたような、思いつめたようなようすで、しばらくは目つきもおかしいほどだった」

ありふれた恋物語だったが、看護婦はその先を聞きたがった。

「そのかたは、それからどうなさったのでしょうか」

「社をやめるのではないかと、思ったね。他の会社に移っても、いくらでも活躍できる実力の持ち主だったのだから。わたしだったら、そうしただろう。だが、彼はやめなかった。それどころか、ある日、わたしの家を訪れ、婚約の成立を祝って、この酒を置いていった。すべてを水に流そうといった態度だったな」

「和解できてよかったですわね」

「いや、ただの和解以上だ。それからは、彼は人が変ったようになった。創立者の娘との結婚でわたしのほうが昇進が早くなったわけだが、彼はいつも従順にわたしを立て、じつによく努力してくれた。会社が発展をつづけ、これまでになったのも、彼によるところが非常に大きい」

老人はグラスをちょっとあげ、感謝の乾杯をするように、残りの酒を少し飲んだ。

「本当にいいお話ですわ。男のかたの友情って、さっぱりとしていて、強くて……」

「そういえるかどうかが、問題なのだよ。彼の性格が、あまりにも急に変りすぎたとは思わないかね。また、その酒をわたしがすぐには飲まず、いままで取っておいた。なぜだろうかと不審には思わないかね」

老人に注意され、看護婦は少し考えた。そして、病院につとめているせいか、やがてあることに気づいた。彼女は思わずそれを口にした。

「毒……」

しかし、その時には、すでに老人は残りの酒を飲みほしてしまっていた。

「そう。ということも考えられるわけだよ。薬品会社という商売柄、その気になれば、効果的な毒薬について調べることも、それを入手することも、普通の人よりはずっと簡単にできたのだからな」

看護婦は眉《まゆ》をひそめ、少しふるえた。

「こわいお話ですのね……」

「しかし、わたしのほうもその気になれば、モルモットに与えてみることもできた。

また、試薬をそろえて、ゆっくりと分析して調べることもできる」

「それで、毒はどうでしたの」

当然だれでも聞きたいところだった。だが、老人は即答せず、話をずらした。

「この場合、毒を入れた当人は、どんな気持ちになるだろうか」

「そうですわね、死ななかったのですから、計画が発覚したらしいと気がつく。あわてて逃げるかしら。でも、すぐに手配されてしまう。覚悟をきめるか、どんな目にあわされるかと、びくびくしつづけ……」

彼女は考え考えしながら、ここまで言った。老人はその先を、もどかしそうにひきついだ。

「そんなところだろう。殺人計画の証拠を、相手に渡してしまった形なのだ。なにしろ、わたしに大変な弱味をにぎられたことになる。わたしから逃げることはできず、一生のあいだ、わたしのために必死に働くことになる」

「殺人計画もいけないけど、かわいそうになってきますわ。どんな人生なんでしょう。こんな残酷なことって、ないんじゃないかしら。本当にそれをおやりになったの。そうなんでしょうね。事業で成功なさるには、それぐらいのことは……」

看護婦は、批難するような鋭い目つきになった。しかし、老人は首をふった。

「そうきめつけられては困る。わたしは、分析をしたとは言っていない。じつは、調べてみなかったのだ。また、このことに関する会話を、彼としたことはなかった。その彼も、数年前に死んでしまった。つまり、きょうまで毒の有無について、わたしは知らなかったのだ」

「調べてごらんになる気には……」

「それは大変な賭《か》けだよ。彼が真の友情の持ち主なのか、わたしへの憎悪に燃えた人間なのか。すぐに答えが出てしまう。やってみる勇気がなかった。前者の場合には、わたしは彼の崇高な人格の前に恥じつづけねばならず、とてもいっしょに仕事はやれない。後者の場合には、わたしは悪魔のような心境になり、復讐《ふくしゅう》のために限りなくこきつかっただろう。彼が死んでも、許す気にはならない。あなただったら、どうする」

「さあ……」

「やはり迷うだろう。わたしもそうだった。迷いつづけでわからないまま、いや、わからないからこそ、親しい友として一生つきあってこられたのではないだろうか。ある時は彼を尊敬し、ある時は彼をあざ笑いたくなり、その交錯のなかで別れることなくつきあいつづけてきた。他人には、わたしたちが無二の仲間に見えたことだろう。

しかし、友情のなかにも、こんなものがあるというわけだよ。あるいは、友情とは本来こんなものなのかもしれない」

「でも、わからずじまいというのも……」

「わからずじまいではない。友情のきずなともいうべきその酒を、いま、わたしが口にした。まもなく答えがわかるだろう……」

老人は舌の先でグラスの内側をなめていた。彼女はどう扱ったものかすぐにはわからず、だまって立ちつづけていた。

そのうち老人は、苦しそうなようすになった。看護婦の連絡で、担当の医師がかけつけてきて老人に聞いた。

「どうなのです、ご気分は……」

「いや、もうなにも聞かないでくれ」

いつもは医師に協力的な老人だったが、いまは答えることをかたくなにこばんだ。病気の発作なのだろうか。酒のアルコール分がやはりいけなかったのか。なぞの解答を知ったことのショックなのか。それとも、酒に含まれていた成分のためなのか。それを他人に知られたくないようでもあった。友情の答えは、自分の心に秘めてあの世に持ち去ろうとするかのように……。

医者はどう手当てしていいのかわからず、ためらってから注射をうった。しかし、そのききめもなく、老人の息づかいは弱くなっていった。

看護婦は顔を近づけ、老人の表情からなにかを読みとろうとした。だが、それはあまりにも複雑で、まだ若い彼女の手にあまるものだった。

逃げる男

午後の九時ごろ。盛り場ならまだ明るさがあふれている時刻だが、この住宅地のあたりは静かで薄暗く、人通りもあまりなかった。

道のはじのほうを、ひとりの青年が歩いていた。足音をたてまいとする歩き方だった。帽子を深くかぶり、オーバーのえりを立てていた。

時どき、おびえたように振りかえる。しかし、尾行している者どころか、人影はまったくない。それでも、青年は何回もたしかめなくてはいられないのだった。追われてでもいるかのように。

事実、青年は追われていた。ひと月ほど前、彼はある宝石店から大金を奪うことに成功した。へんに技巧をこらさないのがよかった。覆面や黒眼鏡などをせず、開店時間中に、普通の客のようになにげなく入った。そして、なにげなく会計係に近より、なにげなく奪い、さっと逃げて、そとの人ごみにまぎれこんでしまったのだ。

かくして、大金を手にすることができた。もっとも、なにもかも、うまくいったというわけではない。大ぜいの人の前に顔をさらしてしまったため、目撃者たちの話にもとづき、モンタージュ写真が作られた。それがけっこうよくできていたので、青年はかくのごとく、人目をさけて逃げつづけなければならなかったのだ。

青年は一軒の小さな住宅にたどりついた。あたりを注意ぶかく警戒しながら、そっとノックをする。なかから、問いかける声がした。

「どなたですか」

「ぼくだ、ぼくだ……」

と青年は低い声で答えた。それに応じて、鍵《かぎ》をはずす音がした。ここは彼の唯一の友人の家だ。ほかにも知人がないわけでもないが、こうなると、追いかえされるか警察へ通報されるかのどっちかだ。友人はドアをあけ、驚いたような表情と声とで、彼を迎え入れた。

「どうしたんだ、いまごろ。まあ、早くなかに入れよ」

「すまん。新聞などでごらんの通りだ。つい、金に目がくらんで、やってしまった。ずっと逃げ回っている。しかし、信用して相談できる友人はきみだけなので、思い切ってやってきた」

「そのことは、警察のほうでも知っているらしい。事件が起ってから、この家はずっと監視されつづけだった。立ち回ったら、すぐ逮捕するためにね」

　その言葉で、青年はふるえ声になった。

「それはいかん。すぐ逃げよう」

「いや、そうあわてることはない。それは最初の二週間ほどで、このごろは一日に一回、見まわりにやってくるだけだ。なにかあったら、すぐ電話で連絡しなければならないことにはなっているがね。しかし、もちろん、そんなことはしやしないよ」

「すまん。その友情には心から感謝する」

　青年はほっとしたが、友人は手を振った。

「礼など言わなくていい。きみを密告する気など、少しもないよ。だけど、いま話したようなわけだから、かくまうことはできない。一日に一回は警官がやってくる。すぐに発見されてしまうだろうし、こっちまで巻きぞえにされてしまう」

「いや、そんな迷惑はかけない。知恵を借りたいだけだ。ほかに相談する相手は、だれもいない。たのむ、これからどうしたらいいか教えてくれ」

「こっちにもわからんよ。どうだ、自首をしたら。逃げつづけなくてすみ、落ち着いた気分になれるだろう」

「冗談じゃないよ。刑務所に入るのはごめんだ。酒は飲めない、うまい物は食えない、朝寝はできない、女の子と遊ぶこともできない。刑務所に入るくらいなら、こんなに苦心して逃げていたりはしないよ」

「それはそうだろうな」

「感心していないで、もっと親身になって知恵をかしてくれ。目立たぬ仕事について、目立たぬように生活したい。しかし、モンタージュ写真でこう手配されていては、どうにもならないのだ」

「まったく、手も足も出ない状態だな。しかし、いや、待てよ……」

友人は、なにかを思いついたような声になった。青年は、身を乗り出した。

「なにか心当りがあるのか」

「じつは、整形外科医のことを考えついたのだ。それで、顔つきを変えるほかあるまい」

「そうだ。それはいい方法だ。うまくゆけば、大っぴらに生活できるというものだ。知りあいにいるのか」

「ああ、その分野では一流だそうだ。院長に電話で連絡しておいてあげよう。場所はここだ」

友人は診療所の所在地を、メモに書いてくれた。青年はうれしそうに手を伸ばしたが、ふと顔をしかめた。

「いや、だめだ。手術の時に顔をさらすことになる。警察に連絡され、すぐ逮捕されてしまうだろう」

「その心配はない。院長は物わかりのいい人で、まとまった金さえ渡せば、内密にやってくれる。だから、けっこう景気がいいそうだ」

この説明で青年は少しほっとしたが、あまり元気はわかないようだった。彼は言った。

「金がいるのか」

「当り前だ。ただでやってくれるわけがない。しかし、奪った大金があるのだろう。安全のための投資と思えば、安いものだ」

「じつは、その金はみんな使ってしまった。人目をさけての逃走には、思わぬ費用がかかるものだ。もう、ほとんど残っていない」

「困ったことだな。貸してあげたいが、ぼくも金がない。時間をかければ金策もできるだろうが、なんに使うのか怪しまれそうだ」

「いや、いいよ。これ以上の迷惑は、かけたくない。金のほうは、こっちでなんとかしよう。整形外科医を教えてもらっただけで、大助かりだ。では、いずれ人相を変えてから、ゆっくりお礼に来るよ」

青年はメモをポケットに、その家を出た。

また、夜の道を歩きはじめた。解決の方法が見つかったとはいうものの、金はない。希望と絶望のまざりあった、いらいらした気分で歩いていた。

しかし、やがて足をとめた。そばに大きな家があり、不用心そうな感じだ。青年は眺めているうちに、決心がついた。そうだ、盗めばいいではないか。この際は、なにがなんでも金が必要なのだ。実行をためらうことはない。塀《へい》を乗り越えて、庭におりた。べつに犬も飼っていないようだ。建物にそっと忍び寄り、灯のついている部屋をのぞいてみた。

なかでは、四十歳ぐらいの女性が、ひとりでくつろいでいた。紅茶を飲みながら、のんびりとテレビを眺めている。いかにも金まわりがよさそうだ。青年は窓ガラスをあけ、すばやく入りこみ、声を立てるひまも与えずに言った。

「さあ、金を出せ。早くだ」

女は目を丸くし、恐怖でうろたえた声で答えた。

「乱暴はしないで下さい。お金なら、そこのハンドバッグに入っています。それを持って、帰って下さい」

「よし」

青年はひもをみつけ、女の手足をしばった。また、口にはさるぐつわをし、声を出さないようにした。

机の上のハンドバッグをあけると、かなりの札束が入っている。それをポケットに移し、ふたたび窓からそとへ出た。手足をしばってあるから、警察へ連絡するのには時間がかかるだろう。また、女に人相を見られてしまったが、その点は問題外。こんな人相とは、まもなくお別れなのだ。青年は心からほっとした。

つぎの日、青年はさっそく教えられたメモをたよりに、その診療所へと出かけた。街なかの大きなビルのなかにあり、けっこう繁盛していた。受付で友人の名を告げ、院長にお会いしたいと取次ぎをたのむ。すでに連絡がなされてあったらしく、すぐに案内された。

「ここで、しばらくお待ち下さい。まもなく、院長がまいりますから」

なにもかも順調に進んでいた。青年は深く息をつき、久しぶりに笑い顔になった。ポケットのなかには、昨夜手に入れたまとまった金がある。これを渡しさえすれば、手術をやってくれるだろう。金の力は、たいていのことを可能にする。

これで、他人の目を恐れながら逃げつづけなくてすむようになれる。どんな仕事にもつけるし、交番の前もびくつかずに通れるのだ。

楽しい空想にひたっていると、やがてドアが開き、院長が入ってきた。

「どうも、お待たせして……」

しかし、その声はすぐにとぎれた。青年も顔をあげて院長を見た。なにか言わなければならないのだが、声は出なかった。まさか院長が女性とは、しかも、きのうの夜に金を強奪した相手の女とは……。

雪の女

冬の山小屋。なかにはひとりの男がいた。さわがしい都会であくせく働くばかりというのもつまらないので、この高原地方に小さな別荘をたてた。そして、休暇にはたいていここへやってきて、のんびりとすごすことにしていた。

別荘といっても立派なものではなく、やはり山小屋と呼んだほうがぴったりする。しかし、床にはカーペットが敷かれ、窓には厚いカーテンがかかっている。暖炉では火があかあかと燃えつづけており、そとには雪が降りつもっていても、その寒さはなかまで入ってこない。

男は長椅子にねそべり、本を読んでいた。時どきウイスキーを飲む。あたりにはあたたかい静かさがただよい、すべて申しぶんない。眠くなれば眠り、束縛するものもない。彼はきわめて満足していた。

男は立ちあがって、窓を少しあけた。なかの空気を入れかえるためだ。そとは夜で、雪はやみ、空は晴れていた。おびただしい星々が、寒風で散乱されたように輝いている。静寂の大気はひえきっていて、痛いほど鋭かった。

「うう、すごい寒さだ。そとは、なにもかも凍りついている」

男はこうつぶやき、あわてて窓をしめた。それからまた読書へもどる。小屋のなかには晩春があるのだ。男はちょっとまどろみ、なにか悩ましい夢を見た。

その時、ドアのはうでノックの音がした。

男は目をあけ、耳を傾け、ふしぎそうな顔をした。こんな時刻、ここを訪れてきそうな者に心当りがない。ここは自由な時間を持ち、休養するための場所だ。だから、友人にも話してない。少しはなれたところに村があるが、そこの住民も今ごろはやってこない。なにしろ、そとはこごえ死ぬほどの寒さなのだ。

しかし、夢のつづきではない。やはりノックの音はしている。となると、応答しなければなるまい。男は立ち、警戒しながら声をかけた。

「どなたです」

「あの、ちょっと……」

若い女の美しい声がした。男は少し安心した。凶悪な犯罪者、無作法な青年ではないらしいと知ったからだ。でも、男はすぐにはあけず、ドアについているガラスをはめたのぞき穴から、そとを見た。

女の顔がそこにあった。男はすばやくあたりに目を走らせたが、そのほかにはだれもいない。警戒心をとき、女の顔をよく見つめなおした。そして、激しく息を吸い、しばらくとめた。

美しい女。ドア越しの声もすがすがしかったが、容貌《ようぼう》はそれ以上だ。いや、美しいなどといった程度ではない。上品で高貴で、それでいて、なまめかしさがある。純真でロマンチックな少年の、夢とあこがれのなかから出現してきたような……。

色白の顔だった。まわりの星の光と雪の、反映のためかもしれない。けがれを知らぬ黒い大きな瞳《ひとみ》と長めの髪の毛とが白さをきわだたせ、肌《はだ》の白さが瞳と髪の黒さにあざやかさを加えていた。男のからだのなかで、どこかがぞくぞくした。神秘的な感じを受けたのだ。また、そのことでそとの寒さを思い出し、男は言った。

「ともかく、おはいり下さい。なかは、あたたかですから……」

鍵をはずし、ドアをあける。待ちかまえていたつめたい風が、そこから流れ込んでくる。しかし、女はなぜかそとに立ったまま。男はなにげなく女の全身をながめ、また驚いた。なぜなら、女はオーバーを着ていない。それどころか、軽装だったのだ。白い薄い布の服で、胸もとがあいていて、そでも短い。白い靴《くつ》で、靴下もはいていない。

男は、目をこすりながら思った。なにか、幻でも見ているのかもしれない。夏の日の女が、いまここに現れるはずがない。もしこの女が実在ならば、戸外には草いきれが立ちこめ、濃い緑の葉をつけた樹々が水蒸気を発散し、虫の声がし、赤みをおびた熱っぽい月でも出ていなければならないはずだ。

「どんな事情があるのか知りませんが、まあ、なかへどうぞ。そんなところに立っていては、こごえてしまいます」

男は言った。実在かどうかは、会話をつづけてみればわかるだろう。それに、こんな美女をこのまま帰したら、後悔するにきまっている。なぜここに現れたかの理由や原因より、彼はまず、女にめぐりあったこの幸運を、のがさないことが第一と考えたのだ。

「でも、あたし……」

すんだ美しくひびく声で答え、女は戸口でためらっていた。その身ぶりがまた好ましい。しかし男は、吹きこむ風にふるえ、少しいらいらした。

「なにも、そう遠慮なさることはありませんよ。そんな場合じゃない。さあ、どうぞ。なかは、あたたまっています」

「その、あたたかいのが困るの。苦手なのよ」

女は妙なことを言った。そういえば、あまり寒そうでない。胸もとも首すじも、あらわな腕にも、どこにも鳥肌さえたっていない。手のこんだ冗談で、こんなまねはできない。

「いったい、なぜ……」

「あたし、雪女なの……」

「まさか……」

男は、小さな叫び声をあげた。この女、少し変なのではないかと、ふと考えた。しかし、いかに精神が異常でも、こんなかっこうで外は歩けない。では、なんなのだろう。

あれこれとありうる仮定をあげようとしたが、ほかには、なにも浮んでこない。男は女を見つめているうち、あるいは、と思いはじめた。本当にそうなのかもしれない。この寒気のなかにいながら、夏姿で平然としている。また、この世のものとも思えない美しさ。雪女とすれば一応の説明はつく。男はそれを言葉にした。

「本当にそうなんですか」

「そうじゃないとお思いなら、それでもいいの……」

女の口調や身ぶりに、ちょっとした不満と、帰ろうかしらという感じがあらわれた。

男はそれに気づき、あわてた。ここで帰られたら、もう二度と会えないだろうとの予感もした。いままで会った、どんな女性にもまさるこの女と。

「待って下さい。帰らないで下さい。信じますよ。もっとお話ししていたい」

「でも……」

「どうすれば、なかへ入っていただけますか」

「暖炉の火を消し、窓をあけて下されば……」

「わかりました。そうしましょう。ちょっと待って下さい。お帰りにならないで下さいよ」

男はその通りにした。まず火を消し、戸口のほうを気にしながら窓をあけていった。なだれこんできた寒さが、室内のあたたかさをたちまち追い払った。

男は急いでセーターを何枚も重ね、さらにオーバーと帽子とを身につけた。あまりいいスタイルとはいえないが、それはしかたない。

「これでどうでしょう。照明は残しておいても、いいでしょうね。暗いと、あなたの顔を見ることができない」

おとなしく待っていた女は、ひえきった室内に入ってきた。

「よさそうね」

明るさのなかで見ると、美しさは一段とはっきりした。肌はきめこまかく、なめらかだ。これまで室内にあった白い品々が、不意によごれをおびた。雪のようだなと男は思い、雪女なら当然だろうと気がついてうなずいた。しかし、大理石の像といった感じではなく、いきいきと、若々しく、みずみずしかった。

すみきった目の奥の奥には、情感が秘められているようだ。男は、椅子にかけるようにすすめた。女はちょっと手でさわり、しばらく待ってから腰をおろした。ぬくもりが少し残っていたためか。男はなにから話したものかと迷い、平凡な言葉を口にした。

「あなたのような美しいかたには、はじめてお会いします。お知りあいになれてうれしい」

「そう。どうもありがとう」

氷で作った、精巧な楽器のような声。すなおな答えだった。美人であるのを意識していない。男は、あらわな腕や胸もとから、まぶしそうに目をそらせながら言った。

「で、なぜここへいらっしゃったのです」

「なんとなくね。あたし、ひとりでいるの好きだし、さびしくもないけど、ちょっと退屈だったのよ」

「しかし、雪女というのは、伝説や物語だと、男を殺すおそろしいものだとか……」

「あら、そんなことないわ。なにかのまちがいよ。あたし、そんなふうに見えるかしら。でも、おいやでしたら、これで失礼するわ」

「いえ、もっといて下さい。失言はおわびします。しかし、それにしても……」

男はからだをすくめた。息が白く流れる。まわりの寒さが、オーバーやセーターを越えて皮膚に迫ってくる。男は「寒い」と言いかけたのだが、女は逆のことを言った。

「……暑いわねえ。窓が小さいから、風がよく通らないせいね」

暑そうにあえいだ。

胸のふくらみが薄い服の下で息づき、女はえりと首のあいだを手でひろげた。また、足を大きく組んだ。暑くてしようがないから、おぎょうぎの悪いのは大目に見て、といった感じだった。

「ふしぎなものですね」

男は、ため息とともに言った。ほかに感想はなかった。女の、魅力にあふれたしぐさ。しかし、それがこのしびれるような寒さのなかに存在している。彼の頭のなかでも、興奮と冷静とが攻めあい、これ以外の言葉は出てこなかった。

「ふしぎなものね」

女は言い、軽く笑った。きらめきが、リズムに乗って散るような笑いだった。

「そんなかっこうで、本当になんともないんですか」

「寒いどころか、暑いのよ。雪女って、寒くなければだめなのよ」

「それでは、夏はどうなさっているんですか」

「温度があがってくると、あたしのからだ、気化して霧のようになってしまうの。だるく、ものうくなり、空気のなかをただよいながら眠りつづけるのだわ。そして寒さの季節がくると、凝結してもとに戻るのよ」

「そんなことって、あるのだろうか。不合理な気がする」

「あたしには、あなたがたのほうが不合理に思えるわ」

女は男を見つめた。まばたきをしない大きな目は、本当にふしぎがっていることを示していた。こんなことで議論しても、しようがない。男はそう思い、女にすすめた。

「お酒でも飲みませんか」

なにかもてなさなければいけないが、コーヒーのたぐいではだめだろう。それにお酒なら、いまやからだの内部までしみこみはじめた寒さを、いくらかやわらげてもくれるだろう。

「どんなものなの、それは……」

雪女が反対しないので、男はその用意をした。しかし、ポケットから手を出しグラスを持とうとした時、凍りつきかけた。彼はあわてて手袋をはめた。男はウイスキーを飲みたかったが、女性むきではないと考え、ワインにした。

「どうぞ……」

グラスのなかのワインの赤い透明な色と、女のほっそりした白い手とは、あざやかな対照だった。雪女はそれを、熱いミルクでも飲むような口つきで味わった。

「おいしいものなのね。こんなの口にするの、はじめてだわ」

「それなら、毎晩でもいらっしゃい。ごちそうしますよ」

男は内心の期待を、そんなふうに言葉に移した。女はもう一杯飲みたいと言った。味が気に入ったのだろう。男のほうも、急いでグラスを重ねた。早くあたたまりたかったのだ。

そのうち、女の目に変化がおこった。うるんだやわらかみを、おびてきたのだ。酔いがまわってきたのかもしれない。女は、大きな呼吸をくりかえしながら言った。

「なんだか、とても暑くなってきたわ。どうしましょう」

「なんでしたら、服をおぬぎになったら」

男は親近感を高めるための、冗談のつもりで言った。しんまで凍りそうな、この寒さだ。いくら雪女でも、そうまではしないだろうと思っていた。しかし、女は言葉どおりにうけとった。

「じゃあ、失礼して……」

ぬぐところを見られたくないためか、女は部屋のすみの物かげへ行った。そして、服を片手にもどってきた。男はそれを迎え、目まいがした。すらりとしたスタイルなのに、服をぬぐと、肉づきのよさが目立った。身にまとっているものといえば、胸と腰のビキニていど。それがまっ白な布なので、肌との区別がつかない。

雪女はまた椅子にかけた。異性というものを知らないのか、天真らんまんな動作だった。しかし、男のほうは平静ではいられない。すぐそばの輝くような裸身。からだじゅうの衝動がこみあげ、のどの奥の声となった。

「ああ……」

「なんですの」

「それが、その……」

女の肌には、うるおいがひろがりはじめていた。人でいえば、汗ということになるのだろう。うっすらととけ、光の微粒子で化粧をしたようだ。うすめたワインのように、ほのかな赤みもおびている。

「あの、お酒とかいうのを飲んだせいね。変な気持ち。悪いんじゃなく、いいのよ。春になって、あたしのからだがかげろうのなかに帰りはじめる前の、こころよいねむさのよう。遊び疲れ、することもなく、解放されてゆくのよ。でも、それと似ているけど、ちょっとちがうわ。それは、からだのそとからでしょ。これは、からだのなかからなの……」

雪女は楽しげにしゃべった。声にもそれがあらわれ、すがすがしいにぎやかさがあった。それとともに、長いまつ毛の目を、ねむそうに閉じかけたり、力を入れて開いて男をみつめたりする。

男のからだのなかを、電流がふるえながらひとまわりした。ひとつは寒さのためであり、ひとつは心の奥で爆発しかけたもののため。そして、もうひとつ。こんな方法で、雪女は男を殺すのかなという恐怖。男は自分をはげますように言った。

「ここで負けたら、殺されてしまう……」

「なにおっしゃるのよ。あたし、だれも殺したことなんかないわ。本当よ。そんなこと、おっしゃらないでよ。あたし、帰るわ」

「あやまるよ。これまで、そういう伝説を聞かされていたんだから。それに、酔っているんだ。きげんをなおして……」

「じゃあ、お酒をもう一杯ちょうだい」

酒の酔いは、女をさらにぐったりとさせた。しかし、だらしない感じはまったくなく、気品のあるあどけなさは、そのままだった。女のおしゃべりの言葉はとぎれがちになり、目は閉じたままになった。眠ってしまったのだろう。

男は、いてもたってもいられなくなった。どうしたらいいのだ。目の前で眠っている裸身の美女。そして、まわりでさらに鋭さをました、しめつけるような寒気。

男は立って、ウイスキーを何杯か飲んだ。くちびるを凍らせるようなつめたさだったが、のどを焼き、胃に入り、そこで炎となってくれた。

グラスを手に、女を見下ろす。あらゆるものの美の香気を吸収した存在が、そこにある。清らかさも、悩ましさも、曲線も、輝きも、なにもかも含んだものだ。はなしたくない。ウイスキーは、男の心をも炎とした。いつまでも、ここにおいておきたい。

男はグラスを、つめたい暖炉にのせた。酒が内側から、寒さが外側から、冷静さを押しつぶした。男は身をかがめ、おおいかぶさるように女を抱きしめた。

しびれるような快感が、伝わってくるはずだった。しかし、それはなかった。石鹸《せっけん》の泡かなにかのように、力をこめても反応はない。熱に対して雪女は、きわめてデリケートなのだろう。音もなく気化する。顔にくちびるを近づけると、その少し前で消えてゆく。男の目には残像がうつっていても、その時すでに実体はない。

気がついてみると、女はどこにもいなくなっている。男は消えたあとにむかって、呼びかける。

「たのむ。戻ってきてくれ」

しかし、男の白い吐息が散るだけで、女の姿はもはや現れない。答えもない。彼はむなしく立ちつづけ、やがてあきらめた。寒さに、うつろなさびしさが加わり、たえられないものとなった。男は窓をしめ、カーテンを引き、暖炉に火をたく。

火が動き、ふたたび、さっきと同じあたたかさがみなぎってきた。男はオーバーをぬぎ、セーターも帽子ももとへ戻した。長椅子に横たわる。だが、完全にもとの形にかえったとはいえない。頭のなかには、強烈な印象が残されてしまった。

目をつぶると、雪女の表情、白い肌、なにもかもはっきり浮びあがってくる。男はその夜、興奮で眠れなかった。夢ならば、あきらめもつく。夢ならば、こう細部までは思い出せない。雪女は現実に訪れてきて、ここで会話をし、ワインを飲み、笑い、眠ったのだ。

男はあけがたになり、やっと少しうとうとした。目がさめてからも、ずっとぼんやりとしてすごした。だが、頭のなかの雪女の記憶だけは、いつまでも鮮明だった。

「もう一度だけでいいから、会えないものだろうか……」

目に見えぬ相手に対して呼びかけるのか、心のいらだちをやわらげるためか、空気にむかってそれだけをつぶやく。

日がかげり、夜になった。粉雪が降りはじめ、窓ガラスをこすっている。男は幻を追い、ねそべっていた。

ノックの音がする。期待しすぎたための気のせいだろうと思いながら、男は言う。

「来てくれたのかい」

「あら、きのう約束なさったじゃないの。毎晩でも、お酒を飲ませてあげるって……」

「もう来ないかと思っていたよ」

男は昨夜のはしたない行為を後悔した。

「お酒のせいかしら。あたし、なんにも覚えていないのよ」

無邪気な、かげのない声だった。あっというまに消え、なぜ消えたのか知らないのだろうか。

「しかし、とけちゃったのじゃないのか」

「寒さにあえば、すぐ形が戻るのよ」

男は、気の抜けた会話をくりかえした。二度と会えるとは思わず、まだ信じられなかったのだ。だが、とつぜん気がつく。やはり女は来てくれたのだ。

飛びあがり、ドアにかけつけ、急いであける。きのうと同じように、軽装の女が立っている。

「どんなに会いたかったことか、わかってくれるかな。ずっと、そのことだけを考えていたよ。さあ、すぐなかに入ってくれ」

「あら、だめよ。そんなにあわてちゃ。ねえ、お願い。乱暴はよして……」

しかし、男はドアから飛び出し、女をなかに押しこもうとする。その瞬間、手ごたえのないまま、室内から流れ出たあたたかさのためか、女の姿は消えてしまった。あとには、戸口から吹きこむ粉雪と、それをとかす、あたたかさの争いだけがつづいている。

呆然《ぼうぜん》とした男の二十四時間が過ぎる。ノックの音。こんどは男も注意し、そっと迎える。きびしい寒気、セーターとオーバー、ワイン、談笑、裸身、女の眠そうな目。

だが、ここまでなのだ。そして、別れ。抱きしめれば、はかなく消えてしまう。それはがまんできても、寒さは彼を失神の寸前まで追いつめる。たえきれなくなって、暖炉を燃やす。女の姿は薄れ、消えてしまう。つぎの日の夜の訪れまで……。

男の一日から、休息がなくなった。くつろぎどころでは、なくなったのだ。雪女は記憶のなかでも美しく、現実に会ってもまた美しい。そして、それで終りなのだ。こんなことをくりかえしていたら、頭がどうかなってしまう。男は思いきって荷物をまとめ、都会に引きあげる。

しかし、会いたくてたまらない心は高まる。夜、あの女は山小屋のドアをノックしてくれているのだ。そう思うと、すぐに引きかえす。雪女の夜の訪れ。いじの悪い、美しい、どうしようもない時間。この瞬間にも春は容赦なく近づいているのだ。春、それから夏と秋への長い長い時間。そのあいだ、どうすればいいのだろう。とても耐えられない。

いや、そんなことより、悔いのない今をすごさなければ。しかし、どうすればいいのだ。いっしょにとけてしまうことができたら、どんなにいいだろう。狂いながら破滅へと進んでいるようだ。狂ってしまうのと、春になるのと、どっちが先だろうか。けがれを知らない女。男を知らない女。殺すことも知らない女。雪女は、殺すなどという、なまやさしいことは知らないのだ。

首輪

デール氏に対する、刑事事件の裁判が開かれていた。一段と高い席から、裁判長はおごそかな口調で発言した。

「被告は、他の星からの宝石密輸入の一味に加わり、地球における売りさばきの仕事を受持ち、不正な利益をあげた。これは社会の秩序を乱す行為であり……」

それを聞きながら、被告席でデール氏は神妙に控えていた。もはや、じたばたしてもだめなのだ。進歩した精巧な、うそ発見機が存在するこの時代においては、犯罪はどうにもごまかしようがない。

逮捕されて調べられたら最後、なにもかも発覚してしまう。惑星間の宇宙船操縦士を含む大がかりな密輸組織が存在したこと、金銭で誘惑されてデール氏がそれに加わったこと、そして、うまい汁《しる》を吸ったことなど、すべて判明してしまった。

あの、うそ発見機というやつほど、いやなものはない。宝石のかくし場所まで知られ、証拠として没収されてしまった。といって、いまさらなげいてもしようがない。

あれこれとこまかく説明したあと、裁判長は宣告した。

「あきらかに有罪である。被告を、懲役三年の刑に処する」

「はい。わかりました」

デール氏は起立し、おそれいった声で答えた。流刑星での重労働の話は、うわさで少し知っている。面白いことはなにひとつなく、鉱石採取の仕事をやらされるそうだ。しかし、自業自得。あきらめなければならない。

これで裁判が終りかと思ったら、裁判長は言いたした。

「被告は三年の刑を、流刑星ですごしたいか。それとも、この都会で生活しながらすごしたいか」

しばらく呆然としていたデール氏は、やがて、ふしぎそうな表情で聞きかえした。

「いま、なんとおっしゃいましたか。流刑星に行かなくてもすむようなお話ととれましたが、わたしの聞きちがえだったのでしょうか。もう一回おっしゃって下さい」

「いや、まちがいではない。この都会で生活をしながら、宣告の刑期をすごす方法もある。好きなほうを、えらんでいいのだ」

「その場合は、刑期がのびるのでしょうか」

「いや、そんなことはない。同じ期間でいいのだ」

信じられないような気分で、デール氏は質問した。

「そんな方法があるとは、少しも知りませんでした。それでしたら、娯楽的なものがなにひとつない流刑星へ行く者など、なくなってしまうでしょう」

「いや、そんなことはない。ほとんどの者は、途中から流刑星行きを志願している。そこで残りの刑期をつとめたいと言い出す。もちろん、そう申し出れば、裁判所は希望をみとめることになっている」

「そんな人の気が知れません。わたしはずっと、ここですごします。自宅に住んでいても、いいのでしょうね」

「いうまでもない。公園のベンチで寝ろなどとは言わぬ。ただし、この金属製の輪を、首に巻いてもらわねばならない」

と、裁判長は銀色の輪を取り出した。犬の首輪を高級にしたような感じで、メカニックな印象も受ける。しかし、目立って大きなものではない。首に巻いたとしても、服のえりでかくれ、他人には気づかれないですみそうだ。

デール氏は、好奇心が高まって聞いた。

「なんなのですか。まさか、人体に害を及ぼすものではないのでしょうね。じわじわ首をしめられては、たまりません。その点は、どうなのですか」

「そんな心配はない。健康には、なんらの影響もないものだ。裁判所の名にかけて保証する。これは、おまえの行動を、あるていど制約する作用を持つものだ。都会の生活を許すといっても、囚人は囚人だ。無制限の自由が、許されるわけではない。それがいやなら流刑星行きだ」

「わかりました。いや、よくはわかりませんが、いずれにせよ、流刑星で働くのよりは、ましなようです。それを、つけていただきましょう」

裁判長はうなずき、デール氏の首にその輪を巻きつけ、つなぎ目に鍵をかけた。少しつめたかったが、すぐになれた。べつに痛くも、くすぐったくもなかった。裁判長はうながした。

「もう、帰ってもいいのだぞ」

「ありがとうございます」

デール氏は頭をトげ、法廷を出た。かくして囚人生活がはじまったわけだが、あまり実感はわかなかった。妙な気分だ。無罪ときまって釈放されたような、心境だった。

デール氏は街を歩いた。だれも、あとをつけてこない。こんなのんさなことで、いいのだろうか。申し訳ないような感じを、いだいた。また、こんな刑ですむのなら、もっと悪事をやっておけばよかったとさえ思うのだった。

夢ではないのだろうか。まったく信じられない。都会に住んでいて、いままでのように生活できるとは……。

道のむこうから、ひとりの女性が歩いてきた。遠くでよくわからないが、若くスタイルがよく、きっと美人にちがいない。

デール氏は近づいてくる女を、よく見ようとした。美人であれば声をかけ、食事にでもさそおうと思ったのだ。彼はいま、祝杯をあげたいような楽しさだった。

しかし、女の顔を見ることはできなかった。なぜか、首が回らないのだ。こんなはずはない。デール氏は立ちどまり、からだをそちらのほうにむけた。

からだはそうなった。だが、首は依然として、女とべつな方角にむいている。ちょうど、そばに磁石が置かれたため、それに反発して、磁針がそっぽをさしつづけるような感じだった。

デール氏がこの現象をふしぎがり、あたふたしているうちに、美人はそばを通りすぎていった。本当に美人だったのかどうかは確かめようがなかったが、上品な香水のにおいがあとに残り、デール氏の残念さを激しくかきたてた。

しばらく考えたあと、デール氏は少しわかってきた。さては、この変な首輪の作用は、これだったのだな、と。しかし、がっかりはしなかった。こんな装置ごときに、負けてなるものか。

またも女性とすれちがったが、こんども顔を見ることはできなかった。だが、なにか方法はあるはずだ。デール氏は作戦をねってみた。女性が右にくれば、首は左をむく。左にくれば首は右だ。では、女性のたくさんいるところへ行ったらどうだろう。周囲が女性なら、どこかへ顔がむくはずだ。

しかし、彼は装置の力をみくびっていた。

デール氏は思いつきに勇躍し、街のにぎやかな場所へいった。女性はたしかに大ぜいいいた。だが、彼女たちの顔を見ることはできなかった。彼の首はしぜんに下をむいてしまい、けっきょく不可能だったのだ。

デール氏はくやしがり、対抗策をさがした。そして、名案を考えつき、鏡を買った。これを使えば成功するだろう。

しかし、鏡の角度をかげんし、のぞきこみ、女性の顔がうつりかけると、こんどは目が閉じてしまうのだった。いかにしても、見ることができない。

しかたない、話しかけるだけで、がまんしよう。だが、その場合、声が出ないのだった。買物の時には、男の店員のいる店をさがすか、自動販売機を利用するしかない。

女性のほうから話しかけてくることはあるのだが、デール氏がそっぽをむいたまま返事をしないので、怒っていってしまう。内心ではもっと話しかけてくれと祈っても、どうにもならない。

また、女性にさわることもできないとの事実も、わかった。それとなく手をにぎろうとしても、デール氏の手に力が入らず、意志の通りにならないのだった。もちろん、他の物品には自由にさわれる。

デール氏は、あきらめて帰宅した。まあ、これぐらいは、やむをえないことなのかもしれない。自分は囚人なのだ。流刑星に行かなくて、すんだのだ。女性を眺めたり、女性にさわったりすることができないぐらいは、がまんすべきなのだろう。

自宅の椅子にかけ、彼はテレビを眺めて気ばらしをすることにした。スイッチを入れることはできたが、そのさきはだめだった。

テレビの画面のほうに、顔がむかないのだ。音声部分から女性歌手の甘い声が流れてきても、その顔を見ることができない。

面白くないので、酒でも飲んで気をまぎらそうとした。酒のびんを持つことはでき、グラスについで口まで持ってゆくことはできた。しかし、そこまでで終り。口が開かないのだ。グラスを傾けても、酒は閉じた口のまわりを流れ、服をぬらすだけだ。

デール氏はグラスの酒をびんに戻し、そのびんを戸棚の奥にしまった。どうせ飲めないのなら、見たりにおいをかいだりしないほうがいい。

どうやら、想像していた以上に残酷な装置だった。首に巻かれた輪の内部のしかけが神経に作用するかどうかして、筋肉をコントロールするらしい。そのため、ある段階以上の行動が抑制されてしまう。おそらく、流刑星で許されている範囲と、同じなのだろう。

酒ばかりではなく、食事も同様だった。ぜいたくな食事をとろうとすると、口が閉じてうけつけない。眺めてくやしがるだけしか、できないのだ。

読書をしようにも、やはり同じ。娯楽雑誌を読もうとしてページを開くと、首がそっぽをむく。かたい修養書や科学、歴史の本しか読めないのだ。そのくせ、皮肉なことに、新聞のテレビ欄は読めるのだ。

ラジオは聞くことができた。だが、それもよしあしだった。なまめかしいドラマを聞いたり、酒のコマーシャルや、高級レストランの案内など、欲望ばかりかきたてられ、現実にはどうにもならないのだから。

日がたつにつれ、デール氏はいらいらしてきた。ありあまる物のなかで暮していながら、その恩恵に浴せない。すぐそばに存在しているのに、まったく無縁なのだ。

最後の抵抗、彼はなんとかして首の輪をはずそうと、努力した。しかし、それはできなかった。ヤスリを使って切断しようとしたが、よほど硬い金属でできているらしく、なかなか傷がつかない。

意地でも切ってやるぞとむりにつづけていると、びりりと電撃が発生し、やめざるをえなくなった。

ついにデール氏は降参した。裁判所を訪れて申し出る。

「流刑星で働かせて下さい」

規定により、それは受理され、デール氏は宇宙船で送られた。流刑星には、もちろん女性はいず、テレビも酒もない。しかし、地球のあの生活より、はるかに気楽だった。

デール氏は、刑期の残りをそこですごした。

宿　命

その星には、いつのころからかロボットがいた。ロボットだけしかいなかった。大気中に含まれている成分が有毒なせいか、動植物は存在せず、ロボットだけが動いていた。そのほかには、はてしなくつづく岩石の陸地と、どす黒い色をした海……。

そのロボットたちは、鉱石を掘り、精錬し、加工して部品を作り、それを組立てて自分たちとまったく同じロボットを作る。からだの表面のナンバーまで、同じにきざむのだ。

雨の降りつづく日も、寒冷の季節も、日光の直射のもとの酷熱の日々も、ロボットたちは休むことなく、その作業をつづける。そして、数がふえてゆくのだった。

時おり、ロボットたちは話しあう。

「おれたちは、なぜ、こんなところにいるのだろうか」

「まず、最初にひとりが、この地上にあらわれた。そいつがこのようにして仲間をふやしはじめ、こうなったのだ。それ以上のことは、わからん」

最初のひとり。それは事実であり、神話ではなかった。ロボットの電子頭脳は正確であり、あいまいな点や美化された点を持っているはずがなかった。

ロボットは新しい仲間ができるたびに、記憶のすべてをそれに伝えた。だから、だれもがそのことを知っていた。こうなると、最初のひとりがだれなのかは、もはや問題ではなくなる。だれも知識は平等なのだ。

しかし、最初の出現以前の記憶は、なにひとつ残っていない。その一点から過去にむかっては、完全な空白だった。ここでの歴史は、なにもかも、その時からはじまっている。

その後の事情から考えて、空からおりてきたのではないかとの推察もできたが、根拠はなく、あくまで仮定にすぎなかった。また、そんなことを考えるより、こみあげる欲求に従って、仲間をふやすことのほうに、ロボットたちは熱中するのだった。

しかし、ある数に達すると、ロボットたちは仲間をふやすのをやめた。もちろん、遊びはじめたわけではない。そのかわり、宇宙船を作ることに、その努力を集中した。いままで以上の作業ぶりだった。地面を掘り岩を砕き、鉱物を精錬し、新しい部品を作った。航行のエネルギー源として必要な鉱物を得るため、深い深い穴を掘らねばならぬこともあった。

落盤でつぶれたのも、いくつかあった。まわりからにじみ出る、きたない水をものともせず、休みなく、その作業をつづけるのだ。

強い嵐《あらし》が通過したこともあった。落雷もあった。激しい地震の発生もあった。身をもって守ろうとしても及ばず、宇宙船の建造は何回かふりだしに戻る。だが、放棄されることはなかった。

「なんでおれたちは、こんなことに熱中しているのだろう」

「義務感というか使命感というか、そんなものが、おれをかりたてるからだ。どうにもならない衝動だ。これができて星々の海に乗り出せるようになれば、なにかきっといいことがある。そんな気がしないか」

「ああ、するとも。理由はわからないが、宇宙をめざさなければならないのだ。宿命とか運命とか呼ぶものなのだろうな」

やがて、宇宙船の完成する日がきた。どのロボットもなかばこわれ、まともなのはほとんど残っていなかった。

しかし、最もましなひとりがそれに乗り、みなの見送りのなかを出発した。炎を噴き、空のかなたへと上昇してゆく宇宙船。

それが無重力空間に達すると、ロボットの頭脳のなかで変化がおこり、新しい思考がよみがえった。これからの進路を、はっきりと指示している。それに従い、無数に散る星々のなかのひとつに、ロボットは方向を定めた。

　ロボットの乗った宇宙船は、虚無のひろがりのなかを進み、凝固している静寂をつき抜け、ひたすら、その星をめざすのだった。急がねばならぬ。どこからか、その力が働き、速力はとっくに限界ぎりぎりとなっていた。

　そして、旅の終る時が来た。ためらうことなく着陸に移る。だが、着陸装置は、うまく作動しなかった。速力はゆるまず、大地に激突し、すべてが四散した。

　遠くのほうから、人びとの歓声の輪がちぢまってきた。なかに、ひときわよく通る声があった。マイクを持った男の声だ。

「みなさま、やっと一台が帰ってまいりました。世紀のゲーム。各星にひとつずつばらまいたロボットのうち、どれが最も早く地球に帰りつくかの賭けです。長いこと、わたしたちの気をもませましたが、その第一着が戻ったのです。いま、破片の調査がされています。まもなく、そのナンバーがわかるでしょう。あなたがお買いになった券のナンバーと一致しておりましたら、高率の配当を手にする幸運に、めぐまれるというわけでございます……」

　ロボットはこわれ、すでに電子頭脳は働かなくなっていた。もし、働きつづけていて、この言葉を聞くことができたとしたら……。
その場合でも、べつにどうとも感じはしない。もともと、そういうものなのだから。

思わぬ効果

エヌ氏がエフ博士の研究所を訪れると、博士は妙な機械をいじっていた。筒型で、大きな照明器具といった感じのものだ。複雑そうな部品が、いろいろとくっついている。

エヌ氏は、見つめながら聞いた。

「いったい、それはなんですか。なんに使うものですか」

「これはわたしが長いあいだかかって研究し、やっと完成したアレルギー治療器です。この先端から、治療効果を持った放射線が出る。それをあびて患者がなおるのです」

とエフ博士が答えたが、エヌ氏はさらに質問した。

「その、アレルギーとは、なんなのですか。やさしく説明して下さい」

「簡単にいえば、ある物質に敏感な体質のことです。たとえば、魚のおすしを食べると、ジンマシンになる人がいます。ある種のカゼ薬を飲むと、からだの赤くはれる人がいます。また、ある花のにおいをかぐと、ゼンソクをおこす人がいます。こういっ

たことが、アレルギー性疾患なのです」
「なるほど、すばらしい発明のようですね。多くの人が助かることになりましょう。あらゆるアレルギーを、いっぺんになおしてしまう装置とは……」
エヌ氏は大いに感心した。しかし、博士は首をふって答えた。
「いやいや、全部いっぺんに、なおせるのではありません。なんに対してアレルギーなのか、はっきりしている場合だけです。この装置をごらん下さい。うしろのほうに容器のようなものが、くっついているでしょう。魚アレルギーの人の時には、そこに魚を入れます。卵アレルギーの人の時には、卵を入れるのです。それから、ダイヤルをマイナスのほうに回すと、それぞれの症状にぴったりした放射線が出て、当った人の体質から魚や卵に対する敏感さを消すわけです」

エヌ氏はうなずきながら聞いていたが、ふと疑問を思いついた。

「ダイヤルはプラスのほうにも回るようですね。そうしたら、どうなるのですか」

「作用が逆になります。たとえば、魚を入れてプラスに回すと、いままでなんともなかった人がアレルギーになり、魚を食べるとジンマシンをおこすようになります」

「なんでまた、そんな作用までくっつけたのですか。装置には不必要でしょう。それどころか、悪用されるおそれもあります。かりに、それを使ってだれかを鉄アレルギーにしたとします。すると、その人はハサミを持つことも、フォークを握って食事することも、できなくなるわけでしょう。また、プラスチックのアレルギーにされたら、ボタンをはめるたびにジンマシンになる。生活が、とても不便になってしまいます」

エヌ氏は、ながながと自己の意見を主張した。それに対し、博士はこう説明した。

「ええ、その点は、もちろん考えました。しかし、装置そのものに罪はなく、問題は使う人の心がけしだいでしょう。人を傷つける危険があるからと銃を禁止したら、畑を荒すクマを追い払えなくなります。装置を有効に使うよう気をつければ、それでいいでしょう」

「それはそうですが、人をアレルギーにして役に立つことなど、あるとは思えませんが」

「いやいや、有効な場合もありますよ。からだに悪いと知りながら、酒をやめられない人がたくさんいます。そんな時、これを使ってアレルギーにすればいいのです。そのたびにジンマシンやゼンソクの反応がおこり、やめざるをえなくなるわけでしょう。塩分や糖分も、ある量以下に押えられる」

「なるほど、おっしゃる通りですね……」

エヌ氏は、あらためて感心した。そして、感心しているうちに、ある名案を思いつき、博士に切り出した。

「そこで、ひとつお願いがあるのですが……」

「なんですか」

「その装置を、ちょっとでいいですから貸して下さい」

「どうなさろうと、いうのです。いま、ご自分でもおっしゃっていたように、悪用されたら困るものなのですよ」

「いまわたしの置かれている、苦しい立場をお話ししましょう。じつは、このところ妻から、ミンクのコートを買ってくれとせがまれているのです。わたしは妻を愛しているが、ミンクはあまりに高価だ。また、妻を思いとどまらせる、いい言葉が考えつかない。そこでです。妻をミンクのアレルギーにしてしまおうというわけです。ぜひ、助けると思って貸して下さい」

「そうでしたか。事情は、よくわかりました。お貸しすることはできませんが、奥さんをここへ連れていらっしゃったらどうです。そうすれば、わたしがこの装置を使って、気づかれることなく、ミンクのアレルギーにしてさしあげます。これなら同じことでしょう」

「ええ、それでけっこうです。よろしくお願いします。さっそく、あしたにでも連れてきますから……」

　つぎの日、打合せどおりのことがなされた。効果を信じるエヌ氏は、ひと安心という気分になれた。だから、

「ねえ、ミンクのコートを、買ってもいいでしょう」

と夫人にねだられても、平然と答えることができた。

「いいとも。毛皮店へ行って、好きなのを買っておいで」

「本当なのね。うれしいわ」

　夫人は、エヌ氏の気の変らないうちにと、すぐに出かけていった。そして、豪華な

のを買って、家へ帰ってきた。身にまとい、いかにも楽しそうだ。

予想に反した結果を、エヌ氏はふしぎがった。いくら待っても、ジンマシンの症状を示さない。これは、どういうことなのだろう。首をかしげ、がっかりした。

エヌ氏は博士の研究所に出かけて、文句を言った。

「装置は、本当にきくのですか。わたしは、ミンクを買わされてしまったのですよ」

「そんなはずはありません。装置はたしかです。これは、学者としての、わたしの名誉にかけて断言いたします」

こうはっきり言われると、どうしようもなかった。エヌ氏は帰りがけに毛皮屋へ寄った。

「わたしの妻が買った、ミンクのことなのだが……」

と言いかけると、店の主人はあわててエヌ氏を奥の一室に案内し、そっと言った。

「なにとぞ、穏便に願います。お払いになったお金はお返しし、あの品物はさしあげます。ですから、ぜひ黙っていて下さい。しかし、よくおわかりになりましたね。ある種のウサギの毛皮に特殊な加工をほどこし、ミンクそっくりに仕上げたものであることが。絶対に見破られないと、自信を持っていたのですがね。いままで、どなたも本物と信じ、だれひとり気づかなかった品なのですが……」

「まあ、ちょっとした勘といったところだね。しかし、わたしも、ことを荒だてるつもりはない。だまっていると約束しますよ」

エヌ氏は金を受取り、内心では大喜びだった。妻は本物と信じ、うれしがっている。そして、自分は金を取り戻した。博士の発明したあの新しい装置は、どうやら予期以上の効果をもたらしてくれたようだ。

ひそかなたのしみ

エヌ氏は毎日の生活で、秘密の楽しみをひとつ持っていた。

普通の人なら、とくに苦心して秘密にするほどのことでもない。だが、彼の場合は、そうもいかなかった。彼の夫人は人一倍頭がよく、しかもうるさい性格の持ち主なので、秘密にせざるをえなかったのだ。

エヌ氏は会社が終ると、寄り道などせず、まっすぐに帰宅する。途中で気ばらしに一杯やりたいとは思うのだが、そんなことをすると、夫人に問いつめられてしまう。エヌ氏はうそをつくのがうまくなく、すぐにぼろが出て、がみがみと文句を言われる結果になってしまう。それを考えると、早く帰ったほうがいいというものだ。

夕食をすませ、しばらくテレビを眺めたりしているうちに、眠る時刻になる。ベッドをととのえるのは夫人の役割で、ミルクを温めるのはエヌ氏ということになっていた。寝る前にミルクを飲むのが、二人の習慣だったのだ。

エヌ氏はその時、夫人の飲むほうに薬を一粒なげ入れる。すぐにとけ、味のしない薬だ。それを運んでいって二人で飲む。

「じゃあ、おやすみ」

と言いあって、ベッドに入るのだ。

まもなく夫人は、静かな寝息をたてはじめる。薬がきいてきたのだ。これには眠りをさそう作用があるばかりか、楽しい夢を見させる働きもある。

この薬は、エヌ氏が友人から手に入れたものだ。その時にためしに飲んでみたが、美しい花園で遊んだり、湖水でのんびりとボートを浮べている夢を見た。

夫人も、そんな夢を見ているのだろう。うれしそうな表情をしている。こわい夢だと途中で目ざめるが、楽しい夢だとその心配がない。

エヌ氏も枕《まくら》に頭をつけ、しばらく眠ったふりをつづける。そして、夫人の眠ったのを横目でたしかめる。

それから、期待にあふれた笑い顔で、ベッドから起き、外出の服に着がえる。そっと家を出て、夜の街へと遊びに行くのだ。なんともいえない解放感がひろがる。自由で、文句を言われることのない時間がはじまったのだ。なにもかも、いきいきとしている。

エヌ氏には、行きつけのバーがある。「エルフ」という名の店で、おそくまでやっている。内部は上品なつくりで、いい酒もそろっていて、値段はそう高くなかった。彼が入ってゆくと、女の子が迎える。

「あら、いらっしゃい」

きれいな女の子ばかりだった。

「ブランデーをもらおうかな」

やがて注文の酒が運ばれ、女の子が話しかけてくる。

「いつも、夜おそくいらっしゃるのね」

「ああ、仕事でね」

「おいそがしくて、大変ね……」

夫人が眠るのを待って出かけてくるのだとは、言うわけにはいかない。飲みながら話しあっているうちに、いい気分になってくる。

まったく、この店ですごすひとときがなければ、息がつまってしまう。会社で熱心に働き、まっすぐに帰宅し、夕刻をおとなしくすごすという日課の連続では、頭が変になってしまうだろう。これぐらいのことは許されていいはずだ。ここに彼の生きがいがある。飲んだり、しゃべったり、時には歌ったり踊ったりもする。いつまでも遊んでいたい気分だ。

しかし、とめどなく飲むわけにはいかない。適当に心のもやもやを発散させたあと、エヌ氏は代金を払う。つけにしてもいいのだが、彼は現金で払うことにしていた。うっかりしていて、電話でさいそくされたりしたら困るからだ。

また「エルフ」を出て家にむかう途中、注意して調べる。ポケットのなかに、バーのマッチや領収書が残っていてはいけない。ワイシャツに口紅のあとがついていたら、よくふきとっておかなければならない。夫人に発見されたら、大さわぎになってしまうのだ。

夜遊びの証拠になるようなものは、なにひとつ持ち帰ってはいけないのだ。それをたしかめ、エヌ氏は帰宅し、服を着がえてベッドに入り、眠りにつく。そばのベッドでは、夫人がたのしそうに眠っている。ずっといい夢を見ているのだろう。

これがエヌ氏の日常だった。べつに、翌日の仕事に支障をきたすこともなかった。心がほぐれ、かえって疲れが消えるためだろうと思った。そして、夫人に気づかれることなくつづいてきた。

エヌ氏は、昼間のうちは、バーのほうに行かないよう心がけた。なにがきっかけで、夫人にばれないとも限らないからだ。

会社の帰りに寄ってみたいと思っても、それはがまんした。びくびくしながら飲むよりも、夫人を眠らせてから安心して飲むほうが楽しいからだ。

しかし、ある日の午後、エヌ氏は会社の仕事でその近くを通りがかった。夜になったらまた出なおすわけだな、と思いながら眺めると、どういうわけかバーの「エルフ」がない。いつもの店がないのだ。

そこは、べつな店になっている。お菓子屋であり、店の名もつくりもちがっている。どうしたのだろう。きょうになって、急に店じまいしたのだろうか。だが、昨夜は平常どおりやっていて、廃業や移転の話など聞かなかった。それが、幻のごとく消えてしまったのだ。

エヌ氏は、そこのお菓子屋で聞いてみた。

「ここのエルフというバーは、どうなったのですか」

「え、そんな名の店は知りませんよ」

「しかし、きのうまで、ここにあったはずですが……」

意外な答えだった。

「いいえ、うちはずっとここで、お菓子屋をやっていますが、バーのことなど、聞いたこともありませんよ」

これは、どうしたというのだ。毎晩のように出かけ、酒を飲んでさわぎ、ちゃんと金を払っていたのは、どういうことになるのだろう。マッチや領収書はとってないが、ここに店があったはずなのだ。

エヌ氏は近所を二軒ほどまわって聞いたが、だれも知らないという。

その夜、エヌ氏はベッドの上で考えた。腹ばいになり、枕をいじりながら、そのなぞをつきとめようとした。しかし、いくら考えてもわからない。

「エルフ」がなくなったとなると、出かける気にもならない。そのうち彼は、いじっている枕が少し変なのに気がついた。なかになにか入っている。

ひっぱり出してみると、わけのわからない小さな装置だ。なんなのかは見当がつかないが、精巧なもののようだった。

エヌ氏はそこに記されてあるメーカーの名を読みとり、電話をかけた。

「もしもし、おたくは、どんな品を作っている会社ですか」

残業で会社にいた社員が、答えてくれた。

「夢を見せる枕のメーカーでございます。なにか故障でしょうか。どちらさまですか……」

エヌ氏が名を告げると、相手は言った。

「……あ、おたくでしたら、奥さまのご注文でお作りしました。枕に頭をつけたとたん、すぐ眠りに入り、家を抜け出してバーへ飲みに行くという形のものでございました。夢は、はっきりしておりましょうか」

はっきりしすぎでいる。エヌ氏は、やっと事態がのみこめた。これでだまされていたのか。支払ったつもりの金は、朝、さきに起きた夫人が、エヌ氏の財布から、そっと抜きとっていたというわけだろう。

やはり夫人のほうが、頭がいいようだ。エヌ氏は彼女に頭があがらない。

ガラスの花

ガラスでできた花。それを由紀子は、神経質なほど大事にしていた。バラの花の一枝。ガラス製だから、すきとおっている。しかし、とてもよくできていた。

手に持ってじっと見つめていると、葉の部分はみどり色をおびはじめるようだ。気のせいかもしれないが、本当にそう見えるのだ。また、花の部分はピンク色にそまり、花びらはしっとりとうるおい、かおりが立ちのぼってくるかのようだった。

彼女はそれを、特別に作ったガラスの容器のなかに横たえ、棚の上に飾っていた。夫が出勤したあとの朝のひととき、由紀子はやわらかい布で、ガラスの花のよごれを取る。注意ぶかく、やさしく、ていねいに。ちょっとでも手をすべらせると、床に落ちて割れ、とりかえしがつかなくなるからだ。

ある日のこと、近所に住む友子がやってきて、おしゃべりのあいまにそのことにふれた。

「あなた、あのガラスのお花を、ずいぶん大切にしているのね。あれをいじる時は、まるで表情や目つきが変ってしまうわ。なにか、ただならぬ感じよ……」

友子は、軽くからかっただけのつもりだった。しかし、由紀子はまじめな口調で答えた。

「そうなのよ。ただならぬものなの。普通の品とは、わけがちがうのよ」

意外な真剣さに、友子は好奇心をもやして聞いた。

「なにか、いわれがありそうね。どういうことなの」

「マスコットとでも言ったらいいのかしら。あれには、魔力が秘められているのよ。どうしてあたしの手に入ったかについては、お話しするわけにはいかないけど、いまはこうして、あたしのものになっているの」

「でも、なんでそれが大切なの」

「幸福がつづいているのは、あたしがいま幸福でいられるのは、あのガラスの花のおかげだからなのよ」

「まさか、そんなこと、あるわけがないじゃないの。迷信よ。たかが、ただのガラス細工でしょう」

「ただのガラス細工かどうか、手にとってごらんなさいよ。でも、注意してね」

由紀子はガラスの容器をあけ、友子はそれを手にとった。手から生気が伝わってゆくかのように、ガラスの花はいきいきとしてくる。花びらなど、指でさわれば弾力を示しそうだ。友子は笑いとばす気がしなくなった。そっと、もとに戻しながら言った。

「もしかしたら、本当かもしれないわね。それで、もしこれがこわれたら……」

由紀子は顔をひきつらせ、青ざめた。

「よしてよ。冗談にも、そんなこと言わないで。それがこわれたら、不幸に襲われるのよ。どんなことかはわからないけど、おそろしい不幸に……」

「だけど、地震とか泥棒とか……」

「このケースは、特殊ガラス製なのよ。自動車の防弾ガラスと同じで、かなりの衝撃でも大丈夫なの。家がつぶれればだめでしょうけど、その時はあたしだっておしまいだわ。それから泥棒は、ちょっと見てただのガラス細工と思い、持ってはいかないわ。そのために、透明な容器に入れてあるのよ。金庫なんかに入れとくと、貴重なものと判断され、かえって盗まれてしまうわ。でも、こんなことは、だまっていてね……」

「もちろんよ」

と友子は誓った。しかし、秘密を聞かされたということで、以前のように冷静ではいられなくなった。ひまがあると、由紀子のガラスの花について、あれこれ考えてしまうのだった。

それは心の片すみで育ち、あんなマスコットを持っている由紀子がうらやましいと思うようになった。マスコットで幸福を保っている由紀子に、嫉妬を覚えた。

友子の生活はべつにみじめでもなく、むしろ恵まれているといえた。しかし、マスコットの存在を知ってしまったいま、平然としてはいられなかった。それはさらに、いじわるなたくらみへと発展した。あれを盗んでこわしてしまったら、どうなるのかしら。

不幸に襲われるとか言って、こわがっていた。でも、いままで、そのおかげで幸福だったのだから、それで公平になるわけじゃないの。それに、由紀子の迷いをさましてあげることにもなるわ。友子の悪だくみは高まり、勝手な理屈で強められ、実行へと移った。

友子はある日、由紀子の外出のすきを見て、しのびこんだ。鍵《かぎ》のかくし場所は知っているから、それを使って簡単に入ることができた。ケースから花を取り出す。それを手にし、あとをもと通りにして外へ出る。

人影のない道ばたで、地面にたたきつける。鋭い音とともに、ガラスの花はこなごなに割れ、光の霧となって散った。その時、友子はなにかいやな気がした。やはり、こわすべきではなかったのかもしれないと思ったのだ。だが、もはや、もとには戻らない。

それから友子は、そしらぬ顔をしてひきかえす。由紀子の家のなかからは、帰宅した彼女の泣き声がもれている。友子は、驚いたような表情を作りながら聞く。

「どうかなさったの」

由紀子はからのケースを指さして言った。

「あの、ガラスの花が盗まれちゃったのよ。大変なことになるわ。どうしましょう……」

「でも、しょうがないじゃないの。あきらめるのよ」

友子は心のなかの残酷な喜びをかくし、さりげなくなぐさめる。それに由紀子は答えた。

「あたしは、あきらめるわ。だけど、持っていった人が……」

その言葉になにか気になるものを感じ、友子は聞いた。

「なぜなの。どうなるの」

「あれは持っていても、いいことはひとつもないの。だけど、あの花をこわしたら、その時の持ち主に呪いがかかるのよ。つまり、持っていった人が、不幸に襲われるの。どんな人が盗んでいったのかわからないけど、こわしたとたん、それまでの幸福に幕がおろされてしまうのよ」

「そうだったの……」

「ええ。だから、あのガラスの花、ひとにあげるわけにもいかず、あたしが大切にしていたのよ。わけを話したら、もらいてがないし、だまって渡すことは良心が許さないし……」

途中まで聞いて、友子はだまって立ちあがった。力ない足どりで、胸さわぎを押えながら、自分の家へと帰る。

家のなかでは、電話が鳴っていた。友子はそれを取る。受話器の奥の相手の声は、友子にとって悲しい不幸なしらせを告げはじめた。

新鮮さの薬

　ある夜、エフ博士は街のバーで飲んでいた。そのうち、お客のなかにいる、ひとりの中年の紳士に気がついた。他のお客とちがっていて、エフ博士の注意をひきつける、なにかを持っていたのだ。

　その紳士は身だしなみがよく、教養がありそうで、お金もありそうだ。それなのに、つまらなそうな表情でグラスを口に運んでいる。エフ博士はそばへ寄り、声をかけた。

「失礼ですが、よろしかったら、ごいっしょに飲みませんか」

「ええ……」

　気の抜けたような返事だった。エフ博士はかまわずに、そばに腰をかけた。

「お見うけしたところ、お元気がありませんが、ご気分はいかがですか」

「つまりませんな。わたしの気分は、つまらないの一語につきます。このところ、ずっとそうなのです」

　そして、紳士は本当につまらなそうに、酒を飲んだ。酒でも飲むほかにすることはない、といった表情だった。エフ博士は聞いた。

「ご旅行でも、なさったらどうなのです。新しい風景に接するのは、楽しいことでしょう」

「普通の人なら、そうでしょう。しかし、親ゆずりの商事会社を、経営しているのです。そのため、国内国外、あらゆる地方を見物してしまいました。もちろん、まだ訪れたことのない地方もあるにはあるのですが、いままでの見聞から想像でき、とくに行ってみたい気にもなりません。つまり、旅行にあきたのです」

「スポーツやゲームは、おやりにならないのですか」

「やりましたとも。たいていのことはやりました。運動神経はあるほうで、勝負事にむいた素質もあったのでしょう。人並みよりちょっと上の程度には、なんでもやれます。しかし、いちおうやると、あきてしまうのです。あきっぽい性質なのかもしれませんね。スポーツやゲームは、いまはやる気になれません」

「奥さんは、おありなんでしょう」

「わたしは金まわりのいいためもあって、たくさんの女性と知りあいました。そのたくさんの女性のなかから、あらゆる点で最もすばらしい女性を選んで結婚しました。魅力的でもあり、家庭的でもあり、頭もいい。申しぶんのない女性といえましょう。

しかし、なんとなく、あきてしまいました。浮気をすればいいわけですが、妻以上の女性は、よそには見当らず、どんな女性を見ても、ぐっとこないのです」

「ぜいたくな悩みですね」

エフ博士はあいづちをうった。紳士はうなずいて話しつづけた。

「たしかに、そうでしょう。たいていの料理は、味わいつくした。とくに読みたい本も、なくなってしまった。芝居の喜劇は見つくし、もう笑うこともできない。悲劇も見つくし、泣くこともできない。この退屈の苦しさは、普通の人にはわからないでしょう。寿命のつきる寸前にこういう状態になれば理想的なのですが、わたしは若いころから、人生の快楽をすべて知ってやろうと張切りすぎました。それに、あきっぽい性格も加わり、こんなふうになってしまった。つまり、することがなく、ぼんやりと酒を飲んでいるわけなのです」

「かなりの重症ですな」

「なにかいい方法は、ないものでしょうか。なにか新しい面白さを与えてくれる人があれば、どんなお礼をしてもいいのだが……」

紳士は小さくあくびをした。それを待っていたかのように、エフ博士は身を乗り出した。

「それが、わたしの専門なのです。じつは、あなたに話しかけたのも、そういう気分に悩んでいるかたではないかと目をつけたからです」

「というと、生きがいを与えてくれるのですか。それが本当なら、お礼はいくらでもします。しかし、信じられないな。飛びあがって喜ぶような面白いことが、この世の中に残っているとは……」

と紳士は半信半疑だった。しかし、エフ博士は断言した。

「本当ですとも。ききめがなかった場合は、料金をいただきません」

「たしかなようだな。すごい話だ。これからすぐにお願いします」

紳士は熱心にせがんだ。エフ博士は紳士をともない、自分の家へと連れてきた。そして、一室へ案内した。飾りけのない部屋で、机と椅子のほかには、壁ぎわに薬びんをおさめた棚があるぐらい。エフ博士は並べてある薬びんの一つから、錠剤を取り出し、さし出した。

「これを、お飲みになってみて下さい。決して害はありませんから、その点はご心配なく」

紳士は首をかしげて迷っていたが、やがて水で飲みこんだ。

「新しい面白さを得るためなら、なんでもするが、こんなことで実現するんでしょうかね」

「まあ、ごゆっくり。いま、お茶をいれてきましょう」

エフ博士は部屋から出て、紅茶とビスケットとを持って戻ってきた。そして、すすめた。

「さあ、ご遠慮なく、どうぞ」

紳士はビスケットをかじり、紅茶を飲んだ。そのとたん、大声で叫んだ。

「うむ。これはうまい。こんなうまいものは、食べたことがない。なんというものですか」

「お食べになったものはビスケット、お飲みになったのが紅茶というものです。薬がきいてきたようですな。わたしが長いあいだ研究し、苦心して作りあげた薬です。そして、味に関する記憶を、すべて消してしまう作用を持っているのです。これを飲んだ人は、食べ物に関して、幼児と同じ状態に戻ったといえましょう。食べあきたものがなくなるばかりか、なにを食べても、はじめての味となるわけです」

エフ博士がアンパンを持ってくると、紳士は、こんなうまいものははじめてだと言い、ミカンを出すと、こんな新鮮な味ははじめてだと叫び、感きわまって飛びあがった。エフ博士は聞いた。

「いかがでしょう。ご満足でしたか。もし、ご不満でしたら、もとに戻す薬がございますが……」

「いや、これでいい。まったくすばらしい。これからは毎日、一回ごとの食事がどんなに楽しくなるだろう」

紳士は高い料金を払って、帰っていった。

何日かたつと、紳士はまたエフ博士の家へやってきた。博士は言った。

「いかがですか、人生へのご感想は」

「おかげで、面白くてたまらない毎日だ。きのうのお昼はカツドンを食べた。晩には天ぷらを食べた。こんなにうまいものが世の中にあるとは、思わなかった。天ぷらの味というものはだね……」

と、その感激のひとつひとつを、こまか

く説明しはじめた。エフ博士は手を振った。

「わたしに説明なさることはありませんよ。しかし、いずれにせよ、喜んでもらえてけっこうです」

「ところで、きょうはお願いがあって来たのです。棚には薬びんが並んでいますが、あのなかには、なにかほかの種類の薬もあるのでしょう。それを飲ませて下さい。料金はいくらでも払います」

「では、これをお飲み下さい。それから、いいおみやげをさしあげます」

エフ博士は棚からべつな薬びんをとり、その一錠を与えた。また、シャーロック・ホームズの本を一冊進呈した。薬には、推理小説についての記憶を、全部消してしまう作用があるのだった。

あんのじょう、紳士はまもなく報告に来た。

「あんな面白い本は、はじめてです。あれ以来、毎晩、推理小説を読んでいます。胸がどきどきし、時間のたつのを忘れるほどです。これというのも、すべて先生のおかげ。いかがでしょう。もっとほかの薬をわけて下さい。もっと多くのことを、新鮮に味わいなおしたいのです」

しかし、エフ博士は首を振った。

「だめです。薬はありますが、わたしの指示のもとに、慎重に使わなければいけないものです」

「もったいをつけないで、わけて下さい。料金ならお払いしますから」

「そうはいきません。そのうち、おあげすることになるでしょうが、いまはだめです」

「だめですか……」

紳士は残念そうに帰っていった。

それから三日ほどたち、エフ博士は棚の薬が少し盗まれているのに気がついた。床に落ちていた名入りのハンケチから、このあいだの紳士のしわざらしいとわかった。夜中に自動車でやってきて、しのび込み、持ち出していったらしい。

「とんでもない人だ。どの薬を持っていったのだろう……」

とエフ博士は調べ、あわてた声をあげた。

「……これは大変だ。ひとつは女性に関するものだ。あれを飲むと、女性に関する記憶をすべて喪失してしまう。そのため、はじめて会った女性に、たちまち熱をあげてしまう。変な女でも既婚者でも、おかまいなしだ。もうひとつは、賭け事に関するものだ。幼児のごとく自制心がゼロになり、つまらぬ勝負事に熱中してしまう。このままだと、とりかえしのつかないことになる。早く手当てをして、もとに戻さなければ……」

エフ博士は、紳士の自宅へと出かけた。たしかに手おくれとなっていた。紳士は自分の妻にむかって、初恋と同じ目の輝きで熱烈な愛をささやいていた。そして、夫人を相手にトランプをやり、財産のほとんどを巻きあげられてしまっていた。

服を着たゾウ

夕ぐれの動物園。

ひとりの男が、ゾウのおりの前を通りかかった。彼は催眠術の分野で、非常にすぐれた才能の持ち主だった。しかし、べつに用事があって動物園へやってきたわけではない。気ばらしをかねた散歩のつもりで、ぶらぶらしていたのだ。

一頭のゾウが彼にむかって、鼻をあげてみせた。えさでもくれないかと思ったのだ。

その時、彼はゾウに言った。

「おまえはゾウではない。人間なのだ。人間の心を持ち、人間として考え、人間の言葉が話せる。いいか、おまえは人間なのだ」

ほんの遊びのつもりだった。催眠術が本当にゾウにかかるなどとは、考えもしなかった。だから、彼はあとをふりかえろうともせずに歩き、ちょうど閉園の時間となっていた動物園を出た。

しかし、ゾウには変化がおこった。ゾウはあたりを見まわし、ふしぎそうにつぶやく。

「はて、なんで、こんなところにいるのだろう。まわりにはゾウばかりだ。一刻も早く、こんなところから出なければならない」

ゾウのおりには鍵がかかっている。その鍵はゾウの知能ではあかないが、人間なら容易にあけられるものだ。このゾウ、外見はゾウのままだが、かけられた術によって自己を人間と思いこんでいる。すなわち、あけることができたのだ。

ゾウはおりから出て、また鍵をかけた。それから、月の光をあびながらゆうゆうと歩き、しばらく動物園のなかを見物する。途中、落ちていた貨幣を拾い、自動販売機に入れ、出てきたびん入りのジュースを飲んだ。人間的思考を持っているのだから、ふしぎではない。

ゾウは塀を乗り越えて、街に出る。まず、一軒の洋服店をみつけ、鼻でノックをした。でてきた主人は、きもをつぶした。巨大な動物が訪れてきたのだから。

「これはまた、なんとしたことだ」

「じつは、はだかでそとを歩くのもみっともないので、洋服がほしいのです」

ゾウが言葉をしゃべるのを聞き、主人はまた驚いた。なにかの冗談かと思ったのだが、さわってみるとぬいぐるみなどでなく、本物のゾウだ。しかも、意外におとなしい。

ひと安心し、驚きがおさまった主人は考えた。これは、いい宣伝になるかもしれない。ていねいに応対することにしよう。

「さようでございますか。しかし、あいにくと既製品には、おからだにあうものがございません。さっそく特別にお作りいたしましょう」

寸法が測られ、たくさんの布が使われ、ちょっとした服ができあがった。ゾウは着てみて、うれしそうに言った。

「にあうだろうか」

「ぴったりでございます」

すると、ゾウは恐縮しながら言った。そのありさまは、ほほえましくも奇妙だった。

「じつは、代金のことなのだが、いま持ちあわせがない。働いてかせいでからということで、いいだろうか」

「けっこうでございます。あなたさまのように大きなかたですと、こそこそ逃げかくれも、できませんでしょう」

「それはありがたい」

「で、働くとかおっしゃいましたが、なにかあてがおありでしょうか」

ゾウがまだ考えてないと答えると、主人は知りあいの芸能プロダクションの経営者のことを思い出し、そこへ行くといいと紹介した。

ゾウはまた歩いて、そこへむかう。途中で警官にとがめられた。

「おい、ゾウを無許可で歩かせてはいかん。だれだ責任者は」

ゾウはふりむいて言う。

「わたしは人間です。ひとりで歩いて、悪いことはないでしょう」

「しかし、そんな大きな人間など……」

「大きな人間は、人間ではないのですか」

警官は、答えにつまってしまった。第一、言葉が話せるし、ちゃんと服も着ている。人間とゾウとを区別する明確な一線は、なんだろう。あれこれ考えているうちに、ゾウは立ち去ってしまった。

ゾウは、芸能プロダクションへたどりついた。経営者は大喜びで迎えた。

「本当だったのだな。電話で聞いただけでは、信じられないような気分だった。ゾウが口をきくとは……」

それに対して、ゾウは抗議した。

「ゾウとは、なんです。わたしは人間なんですよ。口がきけるから人間なんです。ゾウに口がきけますか。あなただって、ブタと呼ばれたらいい気分ではないでしょう」

経営者は、すぐにあやまった。ここであばれられたら大変だ。また、よそのプロダクションに行かれても損失だ。

「いや、これは失礼。ところで、いかがでしょう。テレビに出演してみませんか。報酬はたくさん出しますよ。ゾウの役なんですが、お気に召しませんか」

「役としてやるのなら、ゾウでもなんでもやりますよ」

かくして、ゾウはタレントとなった。二回ほどニュースショーに出たあと、子供むけの演芸番組の司会者の役がまわってきた。そして、たちまち人気者になった。やさしく、朗らかで、親しみがある。子供たちが熱狂的に夢中になるのも、むりはなかった。

一挙に売り出したタレントというものは、たいてい鼻もちならない態度となる。だが、このゾウの場合は、鼻の神経が微妙なためか、そんなふうにはならなかった。

熱心に仕事をし、くだらない遊びはせず、ひまがあると読書にふけるのだ。

したがって、金もたまった。食費に金はかかったが、収入のほうが多かったのだ。

やがて、こんな提案をする人もあらわれた。

「どうです。そのお金で、遊園地を経営してみませんか。子供に夢を、おとなには休養を与える場所のことです」

「やってみましょうか」

ゾウは、遊園地の経営者となった。しかし、社長となっても、威張ったりしない。部下には思いやりがあり、お客には心からのサービスをした。遊び道具には、いちいち自分が乗って点検した。ゾウが乗って大丈夫なのだから、事故は決して起らなかった。必然的に、利益はあがった。

ゾウはその利益で、お菓子の会社や、オモチャの会社をも作った。たいへん良心的な経営であり、利益のなかからは、恵まれない人たちに惜しげもなく金を寄付した。

ゾウとあって話した人は、みな、そのしっかりした考えに敬服する。銀行なども、人柄を信用して金を貸す。発展する一方だった。

ある人がゾウに聞く。

「あなたは、大変な成功をなさいましたね。いったい、その秘訣《ひけつ》は……」

「さあ、べつに心当りもありませんが、むりにあげれば、ひとつだけあります」

「それは、なんなのですか」

「わたしの心の奥に、おまえは人間だ、という声がひそんでいるのです。しかし、人間とはなにか、わたしにはよくわからなかった。そこで、本を読んで勉強をしたのです。人間とはどういうものか、人間ならなにをすべきか、などについてです。つねに学び、考え、その通りにやってきただけです。わたしが世の役に立っているとすれば、このためかもしれません。あなたがた、自分が人間であると考えたことがおありですか」

「さあ……」

指摘された質問者は、口ごもった。そういえば、そんなことは考えたこともない。人間はだれもかれも一回は、催眠術師にたのんで、おまえは人間だとの暗示を与えてもらったほうがいいのかもしれない。

マイ国家

みすぼらしくも豪華でもなく、平凡な家だった。

どこにでもあるような小住宅で、特色をさがすのに骨が折れる。玄関の門標には、真井国三と記してある。きわだって奇妙な名前でもなく、だれだって気にもとめずに通りすぎてしまうだろう。

しかし、この青年はその前で足をとめ、張り切った口調でつぶやいた。

「よし、もう一軒、ここへ寄ってみるとするか……」

彼は銀行の外勤係。つまり、ほうぼうの家庭をたずね、「当銀行にも預金を」と勧誘してまわるのが仕事だった。青年は銀行づとめにふさわしく、まじめな性格で仕事熱心。訪問を受けた家も、どの銀行に預金しようが大差ないということもあって、承知するのが多く、けっこう成績もあがっていた。

きょうもずっと、それをつづけた。午後三時をまわり、そろそろ帰社しようかとも思ったが、ついでだからと、真井という家に飛びこんでみることにしたのだ。

青年はベルを押したが、故障なのか留守なのか、いくら待っても反応がない。なにげなくドアを引くと、軽く開いた。留守としたら用心の悪い家だな。青年は玄関に入り、声をあげた。

「ごめん下さい。どなたかおいでですか」

しかし、やはり応答はない。あきらめて帰ろうかと思った時、家のなかで物音がした。人のうめき声と、ガラスのふれあう音だ。

青年は気になり、帰るに帰れなくなってしまった。だれかがいるようだ。病人だろうか。ひょっとしたら、傷害事件があったのかもしれない。音から察すると、苦しがりながら水を飲もうとしてでもいるようだ。ほっといては、いけないのではないか。

ヒューマニズムとか好奇心とかいうものは、人をとつぜん予想外の行動にかりたてる。青年は暗示にかけられたように、靴をぬぎ、玄関をあがり、少し廊下を歩き、物音のした部屋のドアをあけた。

六畳ほどの広さの洋間で、テーブルがあり、いくつかの椅子《いす》があった。だが、あわれな病人も、惨劇のあともそこにはなかった。

椅子のひとつに四十歳ぐらいの男がかけており、テレビを見ながら洋酒を飲んでいる。青年は自分の勘ちがいに気がついた。うめき声はテレビドラマのなかの人物の声で、ガラスの音はウイスキーをつぐ音だったようだ。

男は顔をあげ、ふしぎそうに青年を見つめた。その視線を受けて赤くなり、頭を下げながらあわてて言った。

「おじゃまいたします。わたしは、銀行の預金勧誘係でございます。失礼をお許し下さい。真井さんでいらっしゃいますか……」

まず名刺を机の上にのせ、鞄《かばん》から銀行のパンフレットだの広告の品だのを、つぎつぎに出した。勝手にあがりこんだという、やましさがある。これらの品々によって、怪しげな者でないとの身分証明をしたつもりだった。それから、誤解の説明とおわびにとりかかろうとした。

しかし、男はとがめようともせず、テレビを消し、きげんよさそうな声で言った。

「まあ、そこへすわれ。いっしょに飲もうじゃないか。ゆっくりしていってくれ」

「いえ、けっこうです。そんなつもりで、おうかがいしたのでは……」

「遠慮するな。景気よくやろう。楽しくやろうじゃないか」

「では一杯だけ……」

えらく調子のいい人だ。明るいうちからのんびり酒を飲んでいるところを見ると、本当に景気がいいのかもしれぬ。そうとすれば、いくらか預金をしてくれるかもしれない。すげなく断わって、相手のきげんを損じるのも考えものだ。それに、無断で入ったというひけめもある。

「そうだ。そうこなくてはいかん。一杯だけというのなら、特別上等のにしよう……」

愉快げに笑いながら、男はそばの棚から高級そうなびんを取り、グラスについで青年にすすめた。

「……さあ、乾杯だ」

「はい。いただきます」

と青年は礼儀正しくあいさつをし、口をつけた。

「なかなか、いけそうじゃないか。グラスを口に運ぶ、手つきがいい。どうだ、もう一杯」

「もう、たくさんでございます。よろしければ、預金のご説明をさせていただけると、ありがたいのですが……」

「いいとも、聞いてやるぞ。だが、もう一杯飲んだならばだ」

なんだかんだと調子よくすすめられて、青年は四杯ほど飲まされてしまった。それでいて、訪問の用件は少しも進んでいない。第一、相手にはこっちの話に耳をかしてくれそうなようすすらない。酒をすすめて、ひとりで喜んでいる。

退屈しのぎの、酒の相手をさせられるだけではかなわない。こっちは仕事中なんだ。それに、酔って帰ると上役に怒られる。一杯だけならまだしも、こんなに飲むと酔いをさますのに一苦労する。このへんで、みきりをつけて引きあげたほうが賢明かもしれぬ。

「どうも、とんだおじゃまを。では、また日をあらためまして……」

あいさつをし、青年は立ち上ろうとした。しかし、なぜか椅子から立てない。腰が抜けたような感じなのだ。そう泥酔《でいすい》もしていないのに。

ふしぎがる青年を見ながら、男は当然そうに言った。

「あはは。どうだ、立てまい。じつは、酒のなかに一種のしびれ薬を入れておいたのだ。足の筋肉が麻痺《まひ》する作用なのだ。もう帰れないぞ」

「なんで、また、そんなご冗談を……」

「冗談なんかではない」

笑ってはいるが、男の表情には妙に真剣なところもあった。青年はあおざめた。

「さては、この鞄のなかの、集金した金を奪うのがめあてだったのか。銀行を襲うより簡単だ。新しい犯罪だ。それに気づかなかったのは、なんという不覚……」

「おいおい、なんと次元の低いことを言うやつだ。後悔するのなら、もっとましなことを言え。いいか、おまえは捕虜なのだ。わが国に不法に侵入してきたのだから、捕虜にした。おまえがどんな武器を持っているのか、当方にはわからない。だから、歓迎のふりをして油断させ、薬入りの酒を飲ませたのだ。その作戦は、みごと成功した」

青年は相手がなにを言っているのか、さっぱりわからなかった。腰が立たないところから、薬を飲まされたのは、たしかなようだ。だが、頭まで変にされたわけではあ

るまい。

相手の口ぶりでは、金がめあてではないらしい。考えてみると、計画的にこうまでうまく罠《わな》を張れるわけがない。

「捕虜とは、どういうことなのでしょうか。教えて下さい」

「ふん。知っているくせに、とぼけかたがうまいな。しかし、まあいい。言ってやろう。どうもこうもない。簡単なことさ」

「はあ……」

「ここは独立国なのだ。国家とはどういうものか知っているか。一定の領土と、国民、それに政府つまり統治機構。この三つがそろっているもののことを言う。領土とはこの家、国民とはわたし、政府もわたし。小さいといえども、立派な国家だ。そこへ外国人が不法に侵入してきた。侵犯だ。侵略の前ぶれかもしれぬ。わが国は、そいつをとらえた。どう処置しようと勝手だ。国家とは、領土内において最高の支配権を持つものなのだ」

「面白い遊びですね」

犯罪でないとわかって、青年は笑いかけた。しかし、男はおごそかな声で、大まじめに言った。

「遊びではない。現実だ」

「そんな、ばかな……」

「遊びだとか、ばかだとか、なんということだ。わが国の尊厳に対する、重大な侮辱だ。その発言は許しがたい。しかし、文句があるのなら聞いてやる。合理的な反論があるならばだがね」

「それは……」

青年は口を開きかけたが、声は出なかった。

どう反論したものか手がかりがわからず、言うべきことがないのだ。一瞬、相手の説のほうが整っているように思えさえした。それに、変な薬を予告もなく飲まされたため、驚きの感情がつづいていて、思考もまとまらない。

弁解をするにも、相手を説得するにも、なにがどうなっているのか、事態をよくのみこむほうが先決だ。また、遊びだった場合も、相手の思いつきにさからわないほうがいい。調子をあわせていれば、喜んだあげく、適当なところで幕にしてくれるだろう。青年はいずれをも兼ねた言葉を考え出した。

「まことに失礼いたしました。つい迷いこんでしまったのです。で、なんという国名なのでしょうか」

「マイ国と称する。国のマークは三本の横線だ。ちゃんと国境線に表示してあったはずだ」

そういえば、〈真井国〉という標札がかかっていたようだ。

「ははあ、あれがそうでしたか。しかし、国境とは……」

「ほらみろ、ちゃんと表示を見ているくせに、迷いこんだとはなにごとだ。国境とは、もちろん玄関のドアだ。しかし、玄関内のたたきの部分は中立地帯とみとめ、入ってきてもとがめないことにしている。こんな寛大な方針の国家は、めったにない。しかるに、おまえはそこを越え、無断で侵入してきた」

「はあ……」

「それは、みとめるだろう。なんの目的だ。スパイか。国家転覆の使命を持った工作員か。それとも、攻撃のための第一次偵察隊か」

そろそろ不意に笑い出し、この新しい冗談の自慢に移ってもいいころだ。だが、男はさらに真剣味を増し、目も鋭くなってきた。これはどういうことなのだ。

「とんでもないことです。ここが独立国とは、少しも知りませんでした。いつから、そうなったのですか」

と青年は質問した。この人は、少し変なのだろう。質問を重ねて行けば、どこかに矛盾が出てくるだろう。そこを指摘するのも、ひとつの案だと考えたのだ。

男はうなずき、姿勢を正して言った。

「はるかむかしだ。暦では数えきれぬほど、むかしのことだ。そのころ、現世はここで天国と接していた。この地は現世でもあり、天国でもあった。その後、人類の堕落により、一時その接触がとぎれたわけだが、ある夜、わたしの頭に天国からの啓示があった。いまの地上の国々は、なんというざまだ。汝《なんじ》はこのゆかりの地に、すべての国の模範となる国を再建せねばならぬ、と。わたしは、その神聖な指示に従ったというわけだ。だから、そもそもの起源は、悠久《ゆうきゅう》のむかしといえる」

「なるほど……」

青年も同じくうなずき、内心で判断した。やはり思っていた通りだ。こいつは、ずれている。あるいは、酒の作用で妄想をうみだし、その世界にひたって喜んでいるのだ。青年はぞっとした。いずれにせよ異常。こんな相手をどう扱っていいのか、見当もつかない。

しかし、男は言った。さっきからしばらく見せなかった笑いを、ちょっとあらわした。

「思考が変なのかと思ったろう。しかし、これは建国の神話だ。国が存在するからには、意味ありげな神話のあったほうがいい。そこでおれが作りあげた。どうだい、ちょっとしたものだろう」

「はあ。ごもっともです……」

めんくらった青年は、目を伏せた。ただの異常ではなく、その一段うえの状態のようだ。ひとすじなわでは、いかないかもしれぬ。議論ではかなわない。ひたすら低姿勢で、許しを乞《こ》うべきだろう。ほかに手はない。

「……お願いです。助けて下さい。本当に、なにも知らなかったのですから」

「それに関しては、なんとも言えぬ。だが、おまえの国との電話連絡だけは許してやろう。ただし三分間だけだ。また、わが国の利益に反する内容に及んだ場合は、途中でも中止を命ずる」

男は部屋のすみから電話機を持ってきた。それを見て、青年はほっとした。電話ひとつかけるのに、えらく大げさな表現をしたものだが、これで助かるのだ。警察にかけたものだろうか。いや、相手を刺激してはいけないから、銀行の同僚にかけたほうがいいだろう。

しかし、男は自分で勝手に電話をかけ、受話器をさし出した。

「さあ、もうすぐ出るぞ。話せ」

薬の作用は手にも及んでいて、それを持つのがやっとだった。だが、青年は力を振りしぼって耳に当て、話しかけた。

「もしもし……」

明瞭《めいりょう》な女の声がした。

「はい。外務省でございます」

「なんですって。そうとは……」

「おかけちがいでございましょうか。それとも、なにかご用件でも……」

青年はこの機会をのがしてはならないのに気づき、せきこんで言った。

「お願いです。マイ国につかまってしまいました。助け出して下さい……」

「タイ国ですか」

「いいえ、マイ国です。マ・イ……」

「ご冗談でしたら、おやめ下さい。そんな国が、どこにございますか」

「いいえ、本当なんです。たのみます……」

すがりつくような必死の声。その心が通じたのか、交換手は言った。

「ちょっと、お待ち下さい……」

かわって、なんとかいう課の係の声となった。だが、どう訴えればいいのだ。もたついているうちに三分がすぎたらしく、受話器はとりあげられてしまった。

「これで国際電話は終りだ。お気の毒だな。おまえの国の政府は、相手にしなかったようじゃないか。よく手が打ってある。破壊工作に送りこんだスパイだから、政府はみとめようとしない。知らん顔で、見殺しにしようとしている。当然のことだ。まあ、おまえは、それを覚悟で乗り込んできたのだろうが……」

「そんなばかかな。もう一回、警察へ電話させて下さい。注意人物のリストにのっているような怪しい人物でないことが、わかるはずだ。ぼくの名刺の銀行でもいい。ちゃんと証明してくれますよ」

「とんでもない。いいか、これは国際紛争なのだぞ。あくまで、その窓口を通さねばならぬ。おまえも見苦しいぞ。つかまったスパイは、じたばたしないものだ」

電話機は、またもとの位置に戻されてしまった。たとえ警察につないでくれたとしても、結果は同様だったかもしれない。変な電話をかけるなと怒られるか、笑われるだけのことだ。人殺しと叫びかけたら、そばにいるこいつが、検閲と称して切ってしまうだろう。

脱出の方法は、べつに考えなければならないようだ。だが、名案も思い浮ばない。そして、これからどうなるのだろう。青年はため息をつき、目を閉じた。しばらく、ぶきみな沈黙がつづいた。

男は、なにやら考えている。やがて、手をたたいて言った。表情も一変した。

「まあ、そう情けない顔をするな。ひとつ、陽気に盛大に飲もう。待っていろ……」

そして部屋から出ていった。いまだ。青年は急いで逃げようとしたが、やはり立てない。電話機までも、たどりつけないだろう。

やきもきしているうちに、男は戻ってきた。チーズやソーセージを盛った皿、氷やビールなどを運んできたのだ。

「遠慮なくやってくれ。飲むのは、なにがいいか。ウイスキーとビールと」

「できればビールのほうが……」

目の前で栓を抜くビールなら、毒も入っていないだろう。しかし、この不意の変化は、どういうわけなのか。すなおに安心していいのかどうか、わからなかった。

そんなことにおかまいなく、男はますます朗らかになった。ラジオをつけた。音量は大きくないが、クラシックの明るい曲が流れはじめた。

「いやなことは忘れて、うんと楽しくやろうじゃないか。ところで、どうだね、そちらの最近の国情は……」

「はあ、なんとかやっているようです」

答えようがないではないか。国情とかいう語を、とつぜん出されては。

「自分の国の政府を、どう思っている」

「どうって、よく考えたことがありません」

「少しは、いいことをやっているか」

「まあ、低所得者の生活保護をしたり、健康保険に金を出したりしているようです。あとは年金とか、災害救助とかにも……」

いざとなると、なかなか思いつけないものだ。すると男が言った。いまの変な質問は、話のきっかけを作るためだったようだ。

「そこが、いかんのだな。まったく、ばからしくてならない。政府とは、ていさいのいい一種の義賊なんだな。しかも、おっそろしく能率の悪い義賊さ。大がかりに国民から金を巻きあげる。その親分がまずごっそりと取り、残りを、かわいそうな連中に分けてやれと子分に命じて渡す。上から下へ子分どもの手をへるうちに、みるみる少なくなる。末端まで来る時には、すずめの涙ほどになる。それを恩に着せながら、貧民や病人や気の毒な人にめぐんでやるというしかけだ」

「そういえば、そうですね」

「むかしの義賊は、びくびくしながらそれをやっていた。だが役人は、自分たちは金持ちから金を取り、弱きを助けているのだといい気になっている。それどころか、立派なビルのなかで、いばっている。老子とかいう、古代中国の人が言っていたぞ。民が飢えるのは、税を食うやつが上にたくさんいるからだとね。自分で貧民を作っておき、かすかに助けるだけのことだ。なんたることだ」

どうあいづちを打ったものかわからず、青年はビールを飲みながら言った。

「あなたは、無政府主義者とかいうものなのですか」

「そうではないな。主義をふりまわして他人を動かそうとは、思っていない。第一、そんなことを言うと、政府がすぐ弾圧するにきまっている。当り前のことだ。製薬会社の前でビタミン無用論をぶつようなもので、営業妨害ということになる。いつの時代でもどの国でも、危険人物に仕立てられ、つかまることになっている。もっとも、おれも無政府主義党を作って、合法的に政権を取ろうかと考えたことはあった。しかし、この計画、どことなく変なものだ」

「お説の通りです」

「政府というもののくだらない点は、まだまだあるが、最もたまらないのは圧迫感だな。目に見えぬ威圧だ。法律という網がくまなく張りめぐらされ、行動を制限している。これが精神によくない」

「はあ、どういけないのでしょうか……」

　青年は、うなずきながら言った。ようすは少しずつわかってきた。筋の通ったところもあるようだ。これは、この男のなんなのだろう。主義なのか、哲学なのか、人生観なのか、趣味なのか、それとも若者の流行にかぶれたせいなのか、アル中の妄想なのか、狂気の産物なのか、見当がつかぬ。もっとも、どれにしたって大差ない。

「外的な条件が、ストレスをおこすからだ。わけもなしに不安を感じる。卑屈になる。おどおどする。妙に反抗的になる。あきらめにひたる……」

「ぼくもそんな気分です」

「みな、ろくな道をたどらない。だが、おれはちがう。独立以来、心はすみきった青空のようだ。いや、青空のかなたの、無重力の空間に浮いているようだ。小国が独立し、解放のお祝いに踊りまわる気持ちがよくわかる。それを何倍にもしたのが、わが国の現在。完全なる自由だ」

「そういうものかもしれませんね」

「わが国には自由、平等、博愛がそろっている。和を以《もっ》て貴しとなしている状態でもある。やっかいな人種問題などなく、一民族、一指導者、一国家だ。また、理想的な、人民の人民による人民のための国でもある……」

男は演説をはじめた。たしかに、いい気分かもしれない。イミテーションの点は仕方ないとしても、ただのきれいごとではなく、裏付けもあるのだ。その点、もとの文句の発明者もうらやましがることだろう。

「……いかなる力を以てしても、わが国を二つに分割できない。国内の分裂もなく、国民の心は政府の心であり、政府の行動は国民の要求だ。政府が悪いというぐちは、ここにはない」

「それはそうでしょう。お説は、よくわかりました。新鮮な考え方にはじめて触れ、感心いたしました。世界連邦を作れとの論は聞いたことがありますが、全人類がそれぞれ独立国となれとは、なんとすばらしく……」

と青年は賛辞を並べたてた。おだてるに限るのだ。さからわないでいれば無事にちがいない。はたして、相手は笑い顔になってくれた。

「おまえの本心はわからんが、わが国をほめてくれたのはうれしい。さあ、もっと飲んでくれ、食べてくれ。心配することはないぞ」

「いえ、もうけっこうです。帰国させていただきます。では、マイ国ばんざい」

調子をあわせて、ごまかそうとした。しかし、そうはいかなかった。相手の口調が命令のように変ったのだ。

「いかん。もっと飲んで楽しむんだ」

「帰らせて下さい。ぼくへの疑いは、晴れたのでしょう。心配することはないとおっしゃった」

「心配しなくてもいいのは、酒のことだ。酒はまだたくさんある。じつはさっき、政府の方針が決定したのだ。おまえは侵犯とスパイ行為により、処刑されることにきまった。しかし、わが国の慣例により、処刑前のひとときは楽しくすごさせてやることになっている。このもてなしは、つまりそれなのだ。おれもがまんして、おまえの話し相手になってやった」

「まさか。むちゃだ。これはリンチだ」

悲鳴をあげたが、その効果はなかった。

「リンチとはなんだ。正式の裁判によるものなのだぞ。しかも、第三審までやったし、国会でも可決したし、国民投票もすんだし、元首の裁可もあった。慎重な手続きの上で、やったことだ。これがリンチなら、他国の裁判もリンチだ。すでに決定はなされた。これをくつがえしたら、わが国の秩序を根本から乱すことになる」

「むちゃだ……」

叫び声も、相手にはこたえない。

「そんなことを言ってはいかん。わが国にむかって無礼な言葉をはくと、処刑を早めるぞ。わが国がむちゃなら、おまえの国はその上だ。どの国も、救いようのないでたらめだ」

「助けてくれ……」

ついに青年は、泣き声をあげた。しかし相手は知らん顔だし、窓がしまっているため、声はそとへとどかない。外国旅行中に秘密警察にとらえられ、むりやり監禁されたら、こんな心細さになるのだろうか。いまの場合も、事実上それと同じなのだ。

そのうち、男はどこからか刃物を持ってきた。ぎらぎらと光り、先端は鋭くとがっている。信じられないような気分を、それは一掃した。本気らしい。青年は反射的に言った。

「しまって下さい。そんな、ぶっそうな凶器など……」

「凶器とはなんだ。軍備と言え。自衛権は国家固有のもので、そのためには必要な軍備の所持と行使とがみとめられている。どの国だってそうだろう。わが国は平和を愛するが、敗北主義ではない。不法侵入の敵があれば、断固として撃滅するまでだ」

「ぼくを殺したりしたら、警察がほってておかないぞ」

「よその国の警察など、どうでもいい。それに殺人とはなんだ。自由と独立をまもるための正当な行為だ。祖国防衛の、愛国心の発露ではないか。これをきっかけに、おまえの国の軍隊が侵略してきたら、正義のためにあくまで戦い抜く。わが国土が焼野原となるかもしれないが、こちらからも反撃してやる」

「ああ……」

この狂ったドン・キホーテめ。ことによったら、となり近所にダイナマイトを投げつけかねない。いずれは逮捕されるとしても、精神鑑定で無罪になってしまう。なんとかならないのか。青年は言うだけは言ってみた。

「……お金ならあげるから、命だけは助けてくれ」

「金なんかなんだ。援助資金ほしさに、事件をでっちあげた国と思うのか。取引きなどできぬ。国家の尊厳や名誉は、金でけがされてはならぬ。筋の通らぬことをして歴史に汚点をつけては、後世の国民に申しわけない。どうだ。これだけ堂々と正論を主張する国家が、ほかにあるか」

「ああ……」

青年は泣きはじめた。心配するなと、いったん安心させられたあとだけに、絶望の度合いは大きかった。かなわぬまでも抵抗しようとしたが、手に力は入らない。

目の前で刃物が光った。まもなく処刑されるのだ。どこを突かれるのだろう。死とはどのていど痛く、どのていど苦しいものなのだろう。こんなふうに人生が終るとは、この家に入るまで夢にも想像しなかったのに……。

青年が目を閉じていると、男が言った。

「ひとつ、喜ばしいニュースを教えよう」

「なんです……」

青年はかすかな声を出した。どうせ、ろくなことではないだろう。期待などしないほうがいい。

「とくに恩赦をもって助けてやろうと思う。よく考えてみたら、きょうは独立記念日だった。許しがたい犯人だが、このよき日に処刑はできぬ。釈放をみとめることに方針が決定した」

「本当ですか。うそじゃないんでしょうね。どうもありがとうございます」

青年はそっと目をあけ、おそるおそる答えた。だが、相手はそのつもりらしかった。

「本当だ。さあ、そうときまったら、大いに飲もうじゃないか。祝賀会をやるのだ」

「もう飲めません。早く、決定どおり国境外へ送還して下さい」

「そうはいかん。わが国の式典を祝えぬというのか。国際友好の精神を、ふみにじるつもりなのか。そもそも、おまえは処刑されるところだったのだぞ。なんの感謝もしないとなると、わが国論を刺激することになる。その結果、重大な事態を招いたとしても、責任はすべてそっちだ」

「いえいえ、そういうわけでは……」

またしても、酒を口にしなければならなかった。気がつくと、べっとりと冷汗が出ていた。しかし、いまは陽気にしなければならぬ場合だ。お祝いの言葉も、のべたほうがいいのだろう。

「……お国の繁栄のために。元首と国民の輝かしい未来のために」

「ありがとう」

男は、おうように応じた。この変化は、どういうことなのだ。国家という妖怪がとりつくと、こうなるものなのだろうか。

「ちょっとおうかがいしますが、おたく、いや、お国では、税金はないのですか」

「そんなものはない。だが、いつだったか、おまえの国の税務関係者がまちがえてやってきて、固定資産税とかを払えと言った。おれは玄関の中立地帯で会見し、交渉した。ここは独立国だ。他国のさしずは受けんと……」

「それですんだのですか」

「するとやつは、これは国際共同分担金だと言った。そういうたぐいのものなら、わが国は支出してもいい。緊急に決定し、払ってやった」

それを聞いて、青年は歯ぎしりした。役人にも、利口なやつがいるとみえる。うまく調子をあわせて、規定の金額を持っていったらしい。その時に、なぜもっと問題にしなかったのだ。おかげで、こっちは、とんだされぎに巻きこまれてしまった。青年はなにげなく言った。

「いったい、こちらはなんで生活しているのですか」

「よけいなおせわだ。なんで、そんなことを聞く……」

風むきは一変し、相手は怒り出した。

「……国家運営の機密は、外国に公表しないことになっている。それをさぐるのが、目的だったのだな。やはりスパイだ。さっきから、なにかひっかかっているのでよく考えてみたら、独立記念日はあしただった。ということは、恩赦の条件を適用できないことになる。人情で国法を曲げることはできないのだ。気の毒だが、前の決定は取り消す。覚悟してもらわなければならぬ」

また刃物がひと振りされた。青年はもはやほとんど考える力を失っていたが、それでもかすかに頭を働かせた。こいつはなんで怒ったのだろう。

　スパイをつかまえて処刑し、その所持品を没収して国家財政をまかなってでもいるのだろうか。

　観光にたよったり、切手を発行して、もうけている小国があるらしい。だが、それもできぬマイクロ国ともなれば、新しい強引なやり方を案出しないとも限らないのだ。

　男は青年にさるぐつわをし、さらに手ぬぐいで目かくしをした。処刑が開始されるらしい。

　だが、青年はもはや泣かなかった。さっき一生の分を泣いてしまったのだ。考えることもなかった。一生の分を、考えつくしてしまったようだった。

　となると、笑うしかなかった。なにもかも、めちゃくちゃなのだ。笑い声はとまらず、さるぐつわの下での笑いで、奇妙な声となって響いた。さっきからの予想外の変化の連続。生から死へ、何度往復させられたことか。自己の感情をコントロールする力を、失ってしまったのだ。

　これは悪夢なんだ。ばかげた悪夢なんだ。泣いてさめない夢なら、笑えばさめるかもしれないではないか。いずれにせよ、こんなおかしなことはない。うつろな笑い声は、さらにつづいた。

男は首をかしげ、もっともらしく言った。

「こいつ、狂いやがった。これでは刑の執行も不能だ。国外追放にする」

そして、青年を抱きかかえるように立たせ、玄関から外へ押し出した。薬品の効果が薄れてきたのか、青年はたよりなげに鞄をかかえ、ふらふらと歩きながら、大きな笑い声をたてた。

通りがかりの人は、変な目で見た。やがて、そのなかのだれかが、近よって話しかけた。

青年は、マイ国で逮捕された事件を話した。話しながら高笑いする。だれもが彼を持てあました。

とても正気とは思えなかった。警察の扱う事件でないことは、あきらかだった。断片的な話を信ずるとしても、酒を飲まされただけで、なにも奪われていない。

つとめ先の銀行の関係者が相談し、彼を病院に入れた。

治療が重ねられ、青年の笑いはとまった。だが医者たちは、彼の頭の妄想を消し去ることができず、苦心している。

高笑いはとまったが、そのかわり、じっと考え込むようになった。その内容は国家についてだった。自分が独立して作る国の名称、国旗のデザイン、憲法、建国神話などについて思いめぐらしているのだ。時どき、じつに楽しそうな会心の笑いを浮べる。なにか名案を、思いついたのだろう。また、妙なメロディーを口ずさむ。重々しい曲だ。国歌の作曲をしているのだろう。

これは異常なのであろうか。精神異常だとすれば、狂ったとみとめて処刑を中止し、釈放をしたマイ国の政府の決定は正しかったことになる。

青年の頭が、異常ではないとしたらどうだろう。そうだとすれば、この場合もやはりマイ国の存在が正しいのだ。

解　説

常盤新平

中学生の少女が『ようこそ地球さん』を読んでいた。彼女は私の質問に、星新一が好きなのと答えたが、その理由は言わずに、ただ微笑をうかべるだけだった。内気そうな少女である。私は彼女に好感を持った。

星新一を愛読する、この少女を含めた若い女性は、なぜか知的で聡明《そうめい》で清潔な感じがする。おそらく、彼女たちにとって、星新一はきわめて紳士的なエンタテイナーであるにちがいない。どうして、こんなに不思議な物語が書けるのだろうと、彼女たちは読むたびに思うのではないか。それも、あとからあとから、どうしてこんなショートショートを生みだせるのか。

しかし、『ようこそ地球さん』を読んでいた少女は、たぶん右のようなことを考えないだろう。星新一が語る現代のおとぎばなしを純粋に楽しんでいるのだ。彼女にわからない言葉は一つもない、理解できない文章だって一行もない。やさしい、じつにやさしい。読みおえてから、もう一度ストーリーを考えてみる必要もない。しかも、知的な好奇心を満足させられて、爽《さわ》やかな後味が残る。

少女はそこで、私にもショートショートが書けると思うかもしれない。星先生の小説には難しいところなんか一つもないのだから、これは誰《だれ》にでもできることだ、と。難しいところなんか一つもない小説を書くのがどんなに難しいかを少女は実際に書いて失敗するまでわからないだろう。

あるいは書けるかもしれないが、しかし、時間に耐えうる作品をのこすことは至難の業だ。星新一はそれを『セキストラ』以来、こつこつとやりとげてきたのである。日本人にしては、上背のある、あの星さんがと思うと、それはいささかユーモラスでもある。

星新一氏について、私が語るとなると、どうしても自分の恥をさらさなければならない。そこからハナシをはじめないことには、嘘《うそ》を書くことになってしまいそうだ。たしか、昭和三十五年か三十六年だった。推理小説、SFの世界でショートショートが全盛になり、筆のたつ人はみんないっせいにショートショートを書きはじめ、推理小説のある雑誌は全ページをショートショートで埋めた増刊号を発行した。このような風潮を苦々しく思った私はおだてられて、よせばいいのに、「ショートショートは馬鹿でも書ける」という駄文《だぶん》を書いてしまったのである。

その反論をまっさきに試みたのが、星新一氏だったと記憶する。星さんがたいへん怒っているということを人づてに聞いた。私が青くなったことはいうまでもないが、現在にいたるも、自分が書いた一部は正しかったと思っている。

ショートショートのブームは雨後のタケノコのようにたくさんの書き手を生みだしたけれども、星新一氏はもともとそういうものとは無縁だったことが、時とともにいよいよはっきりしてくる。ショートショートという片仮名すら、星氏の作品を語る場合、軽すぎるように感ぜられてくる。しかし、ほかに適当な言葉がないし、ショートショートといえば、星新一という定評ができてしまった。

しかし、星新一氏の小説は平易そのものだが、非常にしたたかな感じがする。この『マイ国家』（昭和四十三年七月、新潮社刊）を再読して、その感を深くした。星さんの小説は時間と空間を超越したところで書かれ、そうして生きているかのようだ。世界のどの国でも読まれていい作家といえば、安易に聞えるかもしれないが、星新一氏の作品集の英訳や仏訳がないのが不思議である。けれども、考えてみれば、それは不思議でもなんでもない、星新一の小説を翻訳するのは、書くのと同じくらいに難しいのだ。英訳することはできるだろうが、それは和文英訳になってしまう危険がたぶんにある。星新一の文体を英語にすることが難しい。

星さんはエッセイストとしても一流である。不思議なことに、推理作家にエッセイを書く人は少ないが、SF作家は星氏や小松左京氏、筒井康隆氏など、卓抜なエッセイを書く人が多い。三氏のエッセイには、まず笑いがあるし、盲点を突いた鋭い批評があって、SFに無縁の私は三氏のエッセイを愛読してきた。

星さんは、TVでホームドラマが盛んだったころ（いまもつづいているが）、主な舞台となる居間や茶の間にTVがないのはおかしいという意味の随筆を雑誌に書かれたことがある。たしかにおかしいことであるが、言われてみるまでは、誰も気がつかない。同時に、星さんの指摘によって、TVホームドラマの嘘もわかってくる。

その批評が星新一氏のショートショートからもうかがわれる。本物とまがいものを見分けるのは氏の得意とするところらしい。常識や通念をいとも容易にひっくりかえしてみせるのも、星さんはうまい。たとえば、本書の『国家機密』。

ここで、『国家機密』のストーリーを紹介しても意味がない。このショートショートの寓話《ぐうわ》的な一面を説明しても無意味である。そうした説明や解説を読む時間で、

『国家機密』を読むことができるし、読者はそれぞれの感想を持つことができる。

また、『国家機密』のストーリーを語って聞かせても、聞き手はさほど感心しないだろう。読んでみなければ、わからないのだ。平易な文体のかげにいる作者の、強靭《きょうじん》な精神がわからない。

十年ほど出版社につとめた私は、幸福にもなんどか星さんに原稿をお願いすることができたのだが、たいてい締切日より前に原稿をいただくたびに、どうしてこういうものが書けるのだろうと感嘆したものだ。その当時、あの、ちょっとざらざらした四百字詰の原稿用紙に安いペリカンの万年筆で書かれた几帳面《きちょうめん》な字は内容にそぐわない感じがあった。しかし、稚気のある字でもあった。いまは、どんな万年筆でどんな原稿用紙に書かれているのか、ちょっとのぞいてみたい気もする。

星新一を愛読する人には、『人民は弱し官吏は強し』を読むことをすすめたい。また、『祖父・小金井良精の記』や『明治・父・アメリカ』を読んでいただきたいと思う。私は『人民は弱し官吏は強し』を一読するまで、星新一という作家を理解していなかったのではないかと思う。右の三冊は私の愛読書である。

『人民は弱し官吏は強し』や『祖父・小金井良精の記』は、星さんのショートショートを読む上で、最上の解説になるはずだ。なぜ星新一がショートショートを書くにいたったか、なぜ彼の作品が多くの人を惹《ひ》きつけるのか、その理由がおぼろげながらもわかってくるだろう。

大げさな言い方になるのを許していただけば、星さんは若くして地獄も修羅《しゅら》も見てしまったのである。本来なら、そんなものを見なくてもすんだのであるが。

星さんの小説には、それを見てしまったかなしみと、人間への絶望と愛情がある。星さんの人生が順調であったら、ショートショートを一生書かなかったにちがいない。端正な紳士で、ただし美食家、大食漢として有名な経営者になっていたことだろう。

醜いことも、厭《いや》なことも、星さんが書くと、そうではなくなってしまう。口あたりがよくなるのだけれど、そこがクセモノである。はじめに、したたかな作家だといったのも、強靭な精神と書いたのも、口あたりのよさにごまかされてはいけないからである。

といって、本当はこわい小説なのだと星さんの小説について言うつもりはない。星さんは、世にも短いショートショートという小説形式に孤独な情熱をかけてきたのである。ちょっと想像していただきたい、六尺豊かな、髪に白いものがまじった好男子の紳士が深夜、机にむかって、『特賞の男』や『いいわけ幸兵衛』や『ガラスの花』

を書いている姿を。

じつは、『ようこそ地球さん』を読んでいる中学生が、星新一が好きなの、と言ったとき、私は驚いた。氏の読者層の幅の広さにびっくりしたのではない。星新一を好きだという少女がにわかに知的に見えてきたことに驚いたのだった。もし私が彼女の父親であれば、いい娘を持ったと思うにちがいない。私の娘は星新一の愛読者でして、などと他人に自慢してみたい気もする。

星新一の小説は、だから、衛生無害だというのではない。それどころか、強力な毒を含んでいる。巻末の『マイ国家』を読んでごらんなさい。世の中には、いかにも毒を含んでいそうで、危険そうでいながら、そのじつ毒にも薬にもならないといった小説が意外に多いのだ。

そういう小説はすぐに古くなってしまう。せいぜい一年で読めるしろものではなくなる。いい小説と悪い小説を選別してくれるのは、批評家ではなく、時間だという気がしてくる。とくに、星新一の小説には、批評家も解説屋も不要である。それが不要であることの証明が星さんの数々のショートショートではないか。

星新一の小説の秘密を知りたかったら、氏の小説を読むだけでいい。『ボッコちゃん』や『気まぐれ指数』、『ほら男爵《だんしゃく》 現代の冒険』、『ボンボンと悪夢』、『悪魔のいる天国』をつぎつぎに読んでみることだ。ただし、短いからといって、一編のショートショートを五分や十分で読んでしまおうとケチな了見を起してはいけない。星新一の小説を味わうには、ゆったりした雰囲気《ふんいき》と時間が必要なのである。なぜなら、星新一の小説は、無駄をいっさいとりはらった、贅沢《ぜいたく》この上ないものだからだ。『ようこそ地球さん』を読む中学生の少女に私が好感をおぼえたのも、そういう贅沢な味を早くから知っている彼女の生活を羨《うらやま》しく思ったからである。

（昭和五十一年三月、作家）

この作品集は昭和四十三年七月新潮社より刊行された。

マイ国《こっ》家《か》

新潮文庫　ほ-4-8

昭和五十一年　五月三十日　発行
平成二十六年　六月二十日　六十六刷改版
平成二十八年　六月　五日　六十八刷

著者　星《ほし》新《しん》一《いち》

発行者　佐藤隆信

発行所　株式会社　新潮社

郵便番号　一六二—八七一一
東京都新宿区矢来町七一
電話　編集部(〇三)三二六六—五四四〇
　　　読者係(〇三)三二六六—五一一一
http://www.shinchosha.co.jp

価格はカバーに表示してあります。

乱丁・落丁本は、ご面倒ですが小社読者係宛ご送付ください。送料小社負担にてお取替えいたします。

印刷・株式会社光邦　製本・株式会社植木製本所

ISBN978-4-10-109808-1 C0193